DEDICATION

To two old friends

Larry Goldman and George Bowers

who have influenced my life to some extent and
whose sense of humor and friendship I often recall.

A dos viejos amigos

Larry Goldman y George Bowers

*quines tuvieron influencia en mi vida y cuyo sentido de humor
y amistad recuerdo con frecuencia.*

GALÁPAGOS GALORE

WITH MUSIC CD

GALÁPAGOS EN GRANDE
CON CD DE MÚSICA

DANIEL POLIN

Illustrated & Published by Dan and Sis Polin
LIGHT, WORDS and MUSIC
16710 16TH Ave. N. W., Seattle, Wa. 98177
Phone: 206-546-1498 Fax: 206-546-2585 E-Mail: SisP@aol.com

Ilustrado y publicado por Dan y Sis Polin
LUZ, PALABRAS y MÚSICA
16710 16th de Avenida N. W.,Seattle, Wa. 98177
Teléfono: 206-546-1498   Fax: 206-546-2585   E-Mail: SisP@aol.com

Grateful acknowledgement is made to those listed below, without whose help, this volume and this format could not have been achieved:

Susana Struve
Johannah E. Barry
(Charles Darwin Foundation, Inc.)

Barry Boyce
(Galapagos Travel)

Paul Humann
(Galápagos – A Terrestrial & Marine Phenomenon)

DeWitt Jones
(Columnist & Photographer – Outdoor Photographer Magazine)

Bernie Solomon
(Bescol Ltd. – Legacy International)

Jose Quimbo (Pachamama CD Producer)

Desiree Cruz (Guide)
Macarena Green (Guide)

Printed in Hong Kong by ColorCraft Ltd.
ISBN No. 09645795-2-9
Library of Congress
 Catalog Card No. 99-94542
Photography by Dan and Sis Polin
Published by:
 Light, Words and Music
 16710 16th Avenue N. W.
 Seattle, Wa. 98177
  Phone: 206-546-1498
  Fax: 206-546-2585
  E-Mail: SisP@aol.com

Cover Photo: Great Frigatebird chick in nest. Tower (Genovesa) Island

---

Derechos reservados a Dan y Sis Polin; Luz, Palabras y Música. Todo derecho es reservado inclusive la reproducción de este libro y la música en CD total o parcialmente sin autorización escrita de los autor y del editor; excepto breves acotaciones para examinar.

Todo esfuerzo se ha hecho en localizar a los poseedores de derechos reservados del material y de la música usados en este libro y que no están al alcance del público. Cualquier omisión que nos sea notada será mencionada en futuros impresos.

Un sincero agradecimiento para los que se mencionan a continuación. Sin ellos, ni este volumen ni su estructura hubiera sido posible:

Susana Struve
Johannah E. Barry
(Fundación de Charles Darwin, Inc.)

Barry Boyce
(Galapagos Travel)

Paul Humann
(Galápagos– Un Fenómeno Terrestre y Marina)

DeWitt Jones
(Periodista – Revista de fotografía exterior)

Bernie Solomon
(Bescol Limitado–Legajo Internacional)

Jose Quimbo (Productor de Pachamama CD)

Desiree Cruz (Guía)
Macarena Green (Guía)

Impreso en: Hong Kong by ColorCraft Ltd.
ISBN No. 09645795-2-9
Biblioteca del Congreso
 No. 99-94542
Fotografías por Dan y Sis Polin
Publicado por:
 Luz, Palabras & Música
 16710 16th Ave. N. W.
 Seattle, Wa. 98177
  Teléfono: 206-546-1498
  Fax: 206-546-2585
  E-Mail: SisP@aol.com

Portada: Pichón de Fragata en el nido.
Isla deTower (Genovesa)

INTRODUCTION – *INTRODUCCIÓN*

After reading and studying most of the books about the Galápagos Islands and having recently returned from an extensive photography trip there, I gave some deep thought as to why and how I would do a new book on the same subject. Most of the recent books contained beautiful photographs and interesting descriptions of the wildlife, flora and geology of these very unusual islands. Many also lavishly quote Darwin and Melville from their famous books "The Voyage of the Beagle" and "The Enchanted Islands". This seemed to cover it all, but did it?

None of these books, as far as I could tell, were also in the local Spanish language, most did not address the "local color" or funny stories and incidents about the islands, and certainly none had anything to do with music related to the Galápagos. So, my goal in doing this book, in addition to presenting our version of the photography and significant quotes is to include some of the areas we felt would provide a different outlook and depth about these quite unique islands and maybe encourage your visit too.

In my first book "Let There Be Light, Words and Music", I tried to present our photography as part of a "Fusion of the Arts". The fusion being the picture/poetry/music relationships on an overall "Creation" theme. Although this approach was inspirational and somewhat different than the average coffee-table type photography book, I wanted this Galápagos book to be another step in my "Fusion" direction.

This step includes more relationships between the photos, the stories and the music. In other words, more detailed and significant photos, more interesting and pertinent stories, and music that you can listen to while perusing the pages of this book and that somehow relate to the Galápagos Islands.

You may ask – where and how did I find these additional "local color" stories and anecdotes? What is Galápagos related music? What did you use and what do you suggest for photography in the Galapagos? These questions are fully discussed in the pages of this book along with the music CD inside the back cover. I know you will enjoy and find something new and different in this Y2K version of "Galápagos Galore".

Dan Polin
Spring (*Primavera*) 2000

Después de haber leído la mayoría de los libros sobre las islas Galápagos y de haber regresado tras un extenso viaje fotográfico allí, reflexioné profundamente para qué y cómo haría un nuevo libro sobre el tema. La mayoría de los libros recientes, contenían fotografías muy lindas y descripciones interesantes sobre la fauna, la flora y la geología de estas islas únicas. También, muchos ofrecían citas abundantes de los famosos libros de Darwin y de Melville, "El viaje del Beagle" y "Las Islas Encantadas". Pero, ¿dejaron todo expresado?

Me pareció que ninguno de estos libros fue escrito en el español regional. La mayoría no describía ni el "color regional", ni los relatos cómicos, ni los incidentes de la isla y definitivamente ninguno tenía nada que ver con música de los Galápagos. Tal es que, mi objetivo en la preparación de este libro, además del de presentar nuestra versión fotográfica y citas memorables, es mostrar algunos lugares que provean diferentes perspectivas sobre estas islas singulares y que también lo entusiasmaran a visitarlas.

En mi primer libro titulado "Que haya Luz, Palabras y Música", intenté presentar nuestra fotografia como parte de la" FUSION DE LAS ARTES". Siendo la fusión la relación fotografía/poesía/música en el tema completo de "Creación". Aunque este enfoque haya sido inspirante y algo diferente del de los libros fotográficos de salón, quise que este libro sobre los Galápagos fuera otro paso hacia la FUSION.

Este paso incluye una relación mas estrecha entre la fotografía, los relatos y la música. En otras palabras, fotos mas detalladas y significativas, relatos mas interesantes y pertinentes a las islas.

Se preguntará - ¿dónde y cuándo habrá encontrado estos nuevos relatos y anécdotas de "colorido regional"? ¿Qué usó y qué sugiere usar para fotografiar en las Galápagos?Este libro y el CD de música que lo acompaña en la tapa trasera, cubren plenamente estos temas. Estoy convencido de que le encantará esta versión milenio de "Galápagos en Grande" y de que en ella encontrará algo nuevo y diferente.

INTRODUCTION – *INTRODUCCIÓN*

"It was most striking to be surrounded by new birds, new reptiles, new shells, new insects, new plants, and yet by innumerable trifling details of structure, and even by the tones of voice and plumage of the birds, to have the lava and cactus fields and mountain craters vividly brought before my eyes.

With animals having separated sexes there will in most cases be a struggle between the males for possession of the females. The most vigorous individuals, or those which have most successfully struggled with their conditions of life, will generally leave most progeny. But success will often depend on having special weapons or means of defense, or on the charms of the males; and the slightest advantage will lead to victory."

Charles Darwin
"Origin of the Species" *"El Origen de las Especies"* **1859**

Era increíble verse rodeado de nuevos pájaros, reptiles , conchas, insectos, plantas, minúsculos detalles estructurales, tonos de voces, plumaje de pájaros y tener los campos de lava y de cacto y ver vívamante los cráteres de las montañas ante mis ojos.

Ya que los animales están separados por géneros, habrá en muchos casos lucha entre los machos por posesión de las hembras. Los individuos mas vigorosos, o los mas aptos en la adaptación al ambiente, dejarán con toda probabilidad mas progenie. Pero el éxito dependerá con frecuencia en tener armas especiales o medios de defensa, o para los machos en tener carisma; y la menor ventaja los llevará a la victoria.

The breeding cycle of the Frigatebird begins with a courtship display, during which the male inflates his bright gular pouch. When a female passes, he vibrates his open wings and calls. This display is performed in clusters of eight or more male birds, which seems very attractive to the females. If a female is interested, she lands and courtship continues to the nest building.

I. Castro & A. Phillips – "The Birds of the Galápagos Islands (*Una Guia de las aves en las islas Galápagos)*"

El ciclo de crianza del pájara fragata comienza con un juego de cortejo en el que el macho infla su brillante bolsa gular. Cuando pasa una hembra él sacude sus alas abiertas y la llama. Este juego se realiza en grupos de ocho o mas pájaros machos, y el resultado es de un gran atractivo para las hembras. Si la hembra está interesada, ella aterriza y el cortejo continúa con la construcción del nido.

INTRODUCTION – *INTRODUCCIÓN*

"I have said that in one respect my mind has changed during the last twenty or thirty years. Up to the age of thirty, or beyond it, poetry of many kinds, such as the works of Milton, Gray, Byron, Wordsworth, Coleridge, and Shelley, gave me great pleasure, and even as a schoolboy I took intense delight in Shakespeare, especially in the historical plays. I have also said that formerly pictures gave me considerable, and music very great delight. But now for many years I cannot endure to read a line of poetry: I have tried lately to read Shakespeare, and found it so intolerably dull that it nauseated me. I have also almost lost my taste for pictures or music. Music generally sets me thinking too energetically on what I have been at work on, instead of giving me pleasure. I retain some taste for fine scenery, but it does not cause me the exquisite delight which it formerly did. On the other hand, novels which are works of the imagination, though not of a very high order, have been for years a wonderful relief and pleasure to me and I often bless all novelists. A surprising number have been read aloud to me, and I like all if moderately good, and if they do not end unhappily— against which a law ought to be passed. A novel, according to my taste, does not come into the first class unless it contains some person whom one can thoroughly love, and if a pretty woman all the better.

This curious and lamentable loss of the higher æsthetic tastes is all the odder, as books on history, biographies and travels (independently of any scientific facts which they may contain), and essays on all sorts of subjects interest me as much as ever they did. My mind seems to have become a kind of machine for grinding general laws out of large collections of facts, but why this should have caused the atrophy of that part of the brain alone, on which the higher tastes depend, I cannot conceive. A man with a mind more highly organized or better constituted than mine, would not, I suppose, have thus suffered; and if I had to live my life again, I would have made a rule to read some poetry and listen to some music at least once every week; for perhaps the parts of my brain now atrophied would thus have been kept active through use. The loss of these tastes is a loss of happiness, and may possibly be injurious to the intellect, and more probably to the moral character, by enfeebling the emotional part of our nature."

Charles Darwin – Autobiography (Autobiografiá) 1859

"Yo he dicho que mis intereses han cambiado en ciertos aspectos los últimos veinte o treinta años. Hasta la edad de los treinta, o un poco mas, muchos tipos de poesía, tales como las obras de Milton, Gray, Byron, Wordworth, Coleridge, y Shelley me proveían un gran placer, y aún de estudiante me deleitaba con Shakespeare, especialmente en sus obras históricas. También he dicho que anteriormente los cuadros pintados me daban mucho deleite y la música aún mas. Pero ahora por algunos años no tolero la lectura de un verso de poesía: he tratado últimamente de leer Shakespeare y lo encontré tan intolerablemente aburrido que me causaba náuseas. También casi he perdido mi gusto por cuadros o música. La música generalmente me predispone a pensar muy enérgicamente en lo que había estado trabajando, en vez de darme placer. Aún mantengo el gusto por bellos panoramas, pero ya no me causa el exquisito deleite de otros tiempos. Por otra parte, las novelas que son producto de la imaginación, aunque no de un orden superior, me han traído por años un gran ralajamiento y placer y con frecuencia bendigo a todos los novelistas. Se me ha leído en voz alta un número sorprendente de ellas, y me gusta todo moderadamente y si no terminan mal, contra lo cual debe haber una ley. A mi gusto, una novela no es de primera categoría si no contiene a alguien a quien se pueda amar verdaderamente y si es una mujer bonita, tanto mejor.

Esta lamentable pérdida de aprecio estético, es mas curiosa aún, ya que los libros de historia, biografía y viaje (fuera de la información científica que puedan contener), y todo tipo de ensayos, me interesan tanto como siempre. Mi mente parece ser una máquina procesadora de leyes generales tomadas de grandes colecciones de hechos, pero por qué ha causado el decaímiento de sólo esa parte del cerebro, del cual dependen los gustos superiores, yo no me lo puedo explicar. Un hombre con un cerebro mejor organizado o mejor constituído que el mío, no estaría sufriendo así; y si tuviera que revivir mi vida, me disciplinaría en leer poesía y escuchar música por lo menos una vez por semana; porque tal vez las partes de mi cerebro que están atrofiadas se quedarían activas por el uso. La pérdida de estos gustos es también una pérdida de felicidad, y quizás pueda causar deterioro al intelecto, y mas probablemente al carácter moral, desfalleciendo así lo emocional de nuestro ser."

Sunrise at Kicker Rock

Our first sight of the Galapagos Islands was this cracked tuffstone rock formation at dawn. Although it's name was supposedly derived from an inverted shoe shape or a sleeping sea lion, I think it comes from a more up-to-date local "kick" to run your small boat or "panga" through the crack at high speed.

Roca del Pateador al amanecer

La primera vista de las islas Galápagos fue esta formación quebrada de roca "tufo" al amanecer. Aunque su nombre haya derivado de la forma de un zapato invertido o de un león marino durmiente, yo pienso que proviene de algo regional mas reciente como correr la lancha o "panga' por la grieta a alta velocidad.

"Now with reference to the Enchanted Isles, we are fortunately supplied with just such a noble point of observation in a remarkable rock, some two hundred and fifty feet high, rising straight from the sea and occupies, on a large scale, very much the position which the famous Campanile or detached Bell Tower of St. Mark does with respect to the tangled group of hoary edifices around it."

Herman Melville – "The Enchanted Islands (*Las Islas Encantadas*) " 1854

"En lo referente a las Islas Encantadas, tenemos la suerte de encontrar en una roca increíble, el punto de observación ideal, a unos ciento cincuenta pies de altura, levantándose del nivel del mar y ocupando prácticamente la misma posición que la del famoso "Capanile" o la torre separada de San Marcos con respecto al grupo enredado de edificios que lo circundan.

"There are numerous untouched sand beaches found in an amazing array of colors and textures. Many are of coarse, black volcanic sand. In contrast, others are of fine, pure white sand, the granular remains of shells and coral. Volcanic ash has produced numerous sand beaches in hues of brownish red. A beach on Floreana even has a hint of green from olivine crystals eroded out of volcanic rock. Tortuga Bay at Villamil boasts a magnificent stretch of golden sand beach and constant rolling surf. It must surely be classed as one of the world's most beautiful beaches. The pristine beaches of Galapagos' are unpeopled, unlittered and unmarked except for the footprints of seabirds – they beckon exploration."

Paul Humann
"Galápagos" 1988

"*Hay muchas vírgenes playas de arena que se encuentran en un increíble despliegue de colores y formaciones. Algunas son de arenas volcánicas negras. Otras, en contraste, son de arena blanca y fina; los restos granulares de conchas y corales. La ceniza volcánica ha producido muchas playas de color marrón rojizo. Una playa en Floreana hasta tiene un tinte de verde de cristales olivinos erosionados de la roca volcánica. La Bahía de Tortuga en Villamil luce una extensión magnífica de playa dorada y un continuo surf rodante. Debe estar categorizada como una de las playas mas hermosas del mundo. Las playas prístinas de las Galápagos están deshabitadas, limpias y sin marcas a excepción de las huellas de pájaros marinos; e invitan a la exploración.*"

"The distribution of the tenants of this archipelago would not be nearly so wonderful, if for instance, one island had a mocking-thrush and a second island some other quite distinct species; if one island had its genus of lizard and a second island another distinct genus, or none whatever. But it is the circumstance, that several of the islands possess their own species of the tortoise, mocking-thrush, finches, and numerous plants, these species having the same general habits, occupying analogous situations, and obviously filling the same place in the natural economy of this archipelago, that strikes me with wonder."

Charles Darwin, 1845

"*La distribución de los ocupantes de este archipiélago no sería tan interesante, si por ejemplo, una isla tuviera el tordo burlón y la segunda isla alguna especie completamente diferente; si una isla tuviera su género de lagarto mientras que la segunda otro género distinto o ninguno en absoluto. Pero da la casualidad, que varias de las islas tienen su propio género de tortugas, tordos burlones, pinzones y plantas variadas. Estas especies que comparten muchas costumbres, y situaciones análogas y naturalmente, que ocupan el mismo rango en la economía natural de este archipiélago es lo que me sorprende.*"

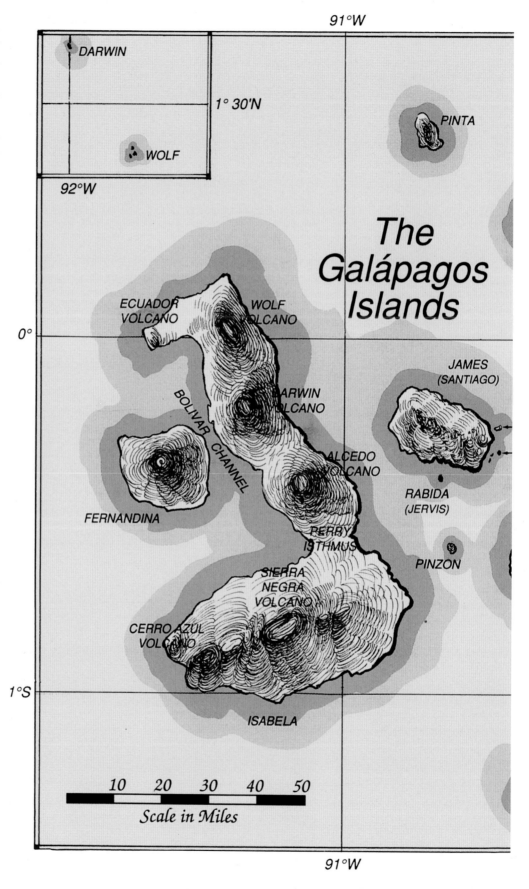

GALÁPAGOS ISLANDS
(Map Courtesy of Barry Boyce - "A Traveler's Guide to the Galápagos Islands")

INTRODUCTION – *INTRODUCCIÓN*

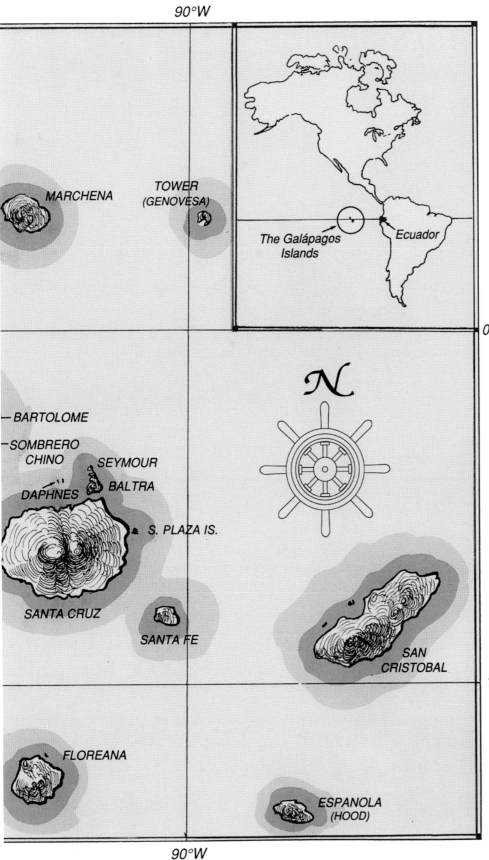

"Considering that these islands are placed directly under the equator, the climate is far from being excessively hot; this seems chiefly caused by the singularly low temperature of the surrounding water, brought here by the great southern Polar current. Excepting during one short season, very little rain falls, and even then it is irregular; but the clouds generally hang low. Hence, whilst the lower parts of the islands are very sterile, the upper parts, at a height of a thousand feet and upwards, possess a damp climate and a tolerable luxuriant vegetation. This is especially the case on the windward sides of the islands, which first receive and condense the moisture from the atmosphere..."

Charles Darwin, 1845

"Ya que estas islas se encuentran directamente bajo el Ecuador, el clima no es excesivamente caliente; esto parece deberse a la temperatura baja de las aguas circundantes, un fenómeno singular, provocado por la gran corriente Polar del sur. Excepto por una temporada muy breve, cae muy poca lluvia, y aún entonces ésta es muy irregular; pero las nubes por lo general están cercanas. Por lo tanto, las partes bajas de las islas son muy estériles, las partes altas, a los mil pies la atmósfera..."

ISLAS GALÁPAGOS
(Cortesía de la correspondencia de Barry Boyce - "recorrido de las Islas Galápagos")

INTRODUCTION – *INTRODUCCIÓN*

TABLE OF THE NAMES OF THE ISLANDS   **LISTA DE LOS NOMBRES DE LAS ISLAS**

English	Spanish
Abington	*Pinta*
Albemarle	*Isabela*
So. Seymour	*Baltra*
Barrington	*Santa Fe*
Beagle	*Beagle*
Bindloe	*Marchena*
Brattle	*Tortuga*
Bartolomew	*Bartolome*
Caldwell	*Caldwell*
Champion	*Champion*
Charles	*Floreana (Santa Maria)*
Chatham	*San Cristróbal*
Cowley	*Cowley*
Crossman	*Crossman*
Culpepper	*Darwin*
Daphné	*Daphné*
Duncan	*Pinzón*
Eden	*Eden*
Enderby	*Enderby*

Gardner
    (Charles)
    (Hood   )
	Gardner
	Gardner

Guy Fawkes	*Guy Fawkes*
Hood	*Española*
Indefatigable	*Santa Cruz*
James	*Santiago* *San Salvador*
Jervis	*Rábida*
Nameless	*Sin Nombre*
Narborough	*Ferdandina*
Onslow	*Onslow*
So. Plaza	*Plaza Sur*
Tower	*Genovesa*
Watson	*Watson*
Wenman	*Wolf*

INTRODUCTION – *INTRODUCCIÓN*

TABLE OF CONTENTS – *CONTENIDO*

"The Galápagos tortoise differs in many respects from any of the three species of tortoises still living in mainland South America. This suggests that the Galápagos tortoise may have evolved from an extinct species of mainland tortoise. During the Pleistocene ice ages and before, various forms of large tortoises lived in North America, South America, the West Indies, Africa, and Asia. It is among these extinct continental forms that we should search for the nearest relative of the Galápagos tortoise."

"Galapagos"—Steadman and Zousner, 1988

"La tortuga Galápagos se distingue en muchas maneras de cualquiera de las especies que habitan en el continente de Sud América. Esto sugiere que la tortuga G. puede haber evolucionado de una especie desaparecida de la tortuga de la tierra firme. Durante el período pleistoceno de la edad del hielo y antes, varias formas de tortugas grandes vivían en Norte y en Sud América, en las Indias Occidentales, en Africa y en Asia. Es entre estas formas continentales extintas que debemos buscar el pariente mas cercano a las tortugas Galápagos."

"During the breeding season, when the male and female are together, the male utters a hoarse roar or bellowing, which, it is said, can be heard at the distance of more than a hundred yards. The female never uses her voice, and the male only at these times; so that when the people hear this noise they can know that the two are together."

Charles Darwin, 1845

"Durante la temporada de reproducción, cuando el macho y la hembra están juntos, el macho enuncia un rugido o bramado, el cual dicen que se puede escuchar a una distancia de casi cien yardas. La hembra nunca usa su voz, y el macho sólo lo hace bajo estas circunstancias; así que cuando se escucha este ruido se sabe que están juntos."

HOOD ISLAND *(ISLA ESPAÑOLA)*

Española or Hood Island is a relatively small flat island measuring only about 14 km. long and barely 200 m. high. Unlike most Galápagos islands it does not show a visible volcanic crater or vent, and was long thought to consist of uplifted submarine lavas. Recent geological studies, however, have proven it to be of subaerial original, although it remains one of the oldest in the group, between 3 and 5 million years of age.

Punta Suarez, the western tip of the island, is one of the most outstanding wildlife areas of the archipelago, with a long list of species that can be seen along its cliffs and sand or pebble beaches. In addition to five species of nesting seabirds, Galápagos hawks can be seen. The Hood mocking bird is a particularly noticeable land bird, being very curious and bold towards people. Several types of reptiles, including the brilliantly colored marine iguana and the oversized lava lizard, are unique to this island.

Española o la isla de la capilla es una isla llana, relativamente pequeña, que mide sólo unos 14km de largo y 200 m de altura. Es distinta de la mayoría de las otras islas Galápagos en que no muestra rasgos de un cráter o de un respiradero volcánico, y hacía mucho se la consideraba como lavas submarinas elevadas. Sin embargo, recientes estudios geolólogicos, han comprobado que es de origen subaéreo, aunque es la mas vieja del grupo de entre 3 y 5 millones de años.

Punta Suarez, , la extremidad occidental de la isla, es una de las regiones silvestres más interesantes del archipiélago. Tiene una increíble variedad de especies que se ven a lo largo de los acantilados y de las playas arenosas o pedregosas. Además de cinco especies de aves marinas anidando, se ven también halcones Galápagos. El cerción "Hood" es un pájaro terrestre bastante reconocible ya que es muy curioso y atrevido con la gente. Varios tipos de reptiles, inclusive la colorida y brillante iguana marina y el lagarto lava, de tamaño descomunal, son exclusivos a esta isla.

Lava lizards are very territorial, but their aggressiveness is shown only to individuals of the same sex. In cases of conflict, males challenge each other by push-ups on their forelegs. They do not face each other, but sideways—displaying their spiny crest—and in opposite directions. They circle one another, sometimes biting each other on the mouth, spilling blood, but that is as far as it goes. Lava lizards have the ability to cast off parts of the body, only once, but the tail will grow up again. This is a self-defense mechanism against predators.

El lagarto lava es muy territorial, pero su agresividad la demuestra sólo a individuos del mismo sexo.. En caso de conflictos, el macho desafía a su rival con movimientos pectorales en sus patas delanteras. Ellos no se confrontan sinó que van de costado, mostrándose la cresta espinosa y en direcciones opuestas. Van en círculo, el uno alrededor del otro, mordiéndose a veces en la boca y sangrando pero hasta allí nomás llegan. Los lagartos lava tienen la capacidad de desechar partes del cuerpo, sólo una vez, pero la cola les crece otra vez. Este es un mecanismo de autodefensa para protegerse de los depredadores.

Differences between seals and sea lions include the following:
- seals do not have external ears, sea lions do.
- seals cannot support themselves on their front flippers, and creep on the ground.
- seals swim with their posterior flippers, sea lions with the front flippers. Sea lions possess strong front flippers on which they stand and which they use to swim. Sea lions are much more fun to watch and swim or snorkel with.
- **BUT** don't get between a bull sea lion and his female mates.

Las diferencias entre las focas y los leones marinos incluyen lo siguiente:
- *las focas no tienen orejas, los leones marinos si.*
- *las focas no pueden mantenerse apotadas sobre sus aletas delanteras y arrastrarse por el suelo.*
- *las focas nadan con sus aletas traseras, los leones marinos con las delanteras. Los leones marinos tienen aletas delanteras fuertes en las que se paran y las que usan para nadar. Es mucho mas divertido observar y nadar o hacer snorkeling con los leones marinos.*
- *PERO , ¡OJO! con meterse entre entre el león marino toro y sus parejas.*

Sea lions gather in colonies on sand or on the rocks. The male is polygamous, but there is no such thing as a 'harem' in the strict sense of the word, for the female is free to come and go as she pleases, in and out of the group. The male is distinguished from the female by its huge size and by a conspicuous hump on the forehead, while the female has a smooth forehead.

The male is very territorial, especially at the beginning of the mating season, and patrols on the beach or in the water constantly to chase occasional intruders. He keeps an eye on the young, which may wander off too far from the safety of the beach, and may be attacked by sharks.

Los leones marinos se juntan en colonias en la arena o en las rocas. El macho es polígamo, pero no hay tal cosa realmente como un harén, ya que la hembra puede entrar y salir del grupo cuando quiera. El macho se distingue de la hembra por su tamaño enorme y por una corcova conspicua en la frente, mientras que la hembra tiene una frente lisa.

El macho es muy territorial, especialmente al comienzo de la temporada de acoplamiento y nstantemente vigila la playa o el agua para echar a intrusos ocasionales. El cuida a los cachorros que pueden desviarse de las zonas seguras en la playa y verse atacados por tiburones.

"Of all the birds in the Galápagos, none is more famous than the blue-footed booby. Boobies are well represented in the islands, with three resident species. The derivation of their name most likely comes from Spanish sailors, who, between the birds' silly behavior and funny-colored feet, decided they truly were clowns (bobos). The birds would perch on raised hatches near the bow of British ships; this, as you can guess, is the origin of the term "booby hatch," which today has another uncomplimentary meaning, similar to "loony bin." There are, by the way, no loons in the Galápagos—none with wings at any rate."

Barry Boyce,
"A Traveler's Guide to the Galápagos Islands"

"De todos los pájaros en las Galápagos ninguno es tan famoso como el "booby"_patita azul. Hay bastantes "booby" en la isla con tres especies regionales. Su nombre probablemente proviene de los marineros españoles que al ver el comportamiento "bobo" de los pájaros y el color cómico de sus patas decidieron que realmente eran payasos. Los pájaros se sentaban o empollaban cerca de las proas de los barcos británicos. Se puede deducir que este es el origen de la expresión "booby hatch" el que hoy tiene un significado poco agradable, similar a "loony bin". (loco o tonto) A propósito, no hay "loons" (aves acuáticas palmípedas) (bobos) en las Galápagos, al menos no con alas."

Barry Boyce
"Una Guía de viaje a las islas Galápagos"

"The rocks on the coast abounded with great black lizards. . . a hideous looking creature, of a dirty black colour, stupid, and sluggish in its movements. Their tails are flattened sideways, and all four feet partially webbed. When in the water this lizard swims with perfect ease and quickness, by a serpentine movement of its body and flattened tail. – It is. . . most remarkable, because it is the only existing lizard which lives on marine vegetable productions....We must admit that there is no other quarter of the world where this Order replaces the herbivorous mammalia in so extraordinary a manner."

"En las rocas costeras, abundan los enormes lagartos negros...unas creaturas de aspecto horrible, de un color negro sucio, estúpidas y de movimientos perezosos. Tienen colas achatadas hacia los costados y son parcialmente palmípedos. En el agua, este lagarto nada fácil y rápidamente dando movimientos serpentinos con su cuerpo y su cola achatada. Es...muy increíble porque es el único lagarto que vive de producciones vegetales marinas...Debemos admitir que no existe otro segmento del mundo en donde este orden reemplace la mamalia herbívora de esta manera tan extraordinaria".

Charles Darwin, 1845

"The first impression of a marine iguana is not much improved when it appears to spit in your direction every so often. Actually, the animal is sneezing, expelling the excess salt from its system through a special gland connected to the nostrils. Yet another interesting adaptation, although for some people not a very pretty one to behold."

Barry Boyce- " A Traveler's Guide to the Galápagos Islands"

"La primera impresión de una iguana marina no es muy positiva al parecer que escupe en su dirección de vez en cuando. En realidad, el animal está estornudando, echando el exceso de sal de su sistema por medio de una glándula especial conectada a sus orificios nasales. Este es otro aspecto interesante de adaptación, aunque para algunos no sea muy apetecedor."

Barry Boyce- "Una Guía de viaje a las islas Galápagos"

Nearly the entire world population of waved albatrosses nest on Española (Hood) Island. The courtship display is remarkable. In their dance, albatrosses cross beaks as two fencers in a duel, then go for a 'sky pointing display' with the beak opening and loudly snapping shut, and start the love fight again. This display is repeated over and over. This dance is longer and more complex in new couples, or with an established pair which has failed to reproduce.

Curiously, the waved albatross will roll its egg quite a distance between the rocks, pushing it with the beak, as if to give it exercise. Sometimes the egg breaks.

Casi toda la población mundial de albatroses ondulados anida en la isla Española. El juego de cortejo es increíble. En su danza los albatroses atraviesan los picos como esgrimidores en un duelo. Luego continúan con una exhibición de apuntar los picos al cielo abriéndolos y luego chascando fuerte al cerrarlos y recomenzando la pelea del amor. Esta danza es mas larga y compleja en parejas nuevas o con una pareja establecida que aún no pudo parir.

Curiosamente, el albatros ondulado rueda su huevo a ciertas distancias entre las rocas, empujándolo con el pico como para darle actividad física. A veces el huevo se rompe.

"Galápagos Mockingbirds have a special social organization where older offspring help to feed their younger siblings and defend their parents' territory. During the non-breeding season these family groups stay together. Their call is very varied, mimicking the songs of many other species and have absolutely no fear of man."

I. Castro & A. Phillips
"The Birds of the Galápagos Islands"
"Los pájaros de las islas Galápagos"

"El cerción Galápagos tiene una organización social especial donde los polluelos mayores ayudan a alimentar a los menores y defienden el territorio de sus padres. Fuera de la temporada de reproducción, los grupos de familia se mantienen juntos. Su llamada, que es muy variada, copia las canciones de muchas otras especies. Ellos no tienen miedo en absoluto del hombre."

Frigates, or 'vultures of the sea', are specially designed for life aloft. Their wingspan is as big as that of the albatross. This bird, having lost the waterproofing of its black plumage, never lands on the sea. The uropygial gland, which normally oils the feathers, is atrophied and useless.

Frigates spend time gliding in circles in the sky. When in pursuit of other birds—especially boobies, for example, which they frequently harass for food —they may be very fast. This is called 'cleptoparasitism'. Frigates may also catch small fish on the surface of the water with the mere swipe of the hooked beak.

Las fragatas, o buitres del mar, están especialmente diseñadas para vivir arriba. La expansión alar es tan grande como la del albatros. Este pájaro que ha perdido la impermeabilidad de su plumaje negro, nunca aterriza en el mar. La glándula uropégica, que normalmente lubrica las plumas, está atrofiada e inútil. Las fragatas pasan el tiempo deslizándose en círculos en el cielo. Cuando persiguen a otros pájaros, como a los "bobos", por ejemplo, a quienes frecuentemente molestan por comida, ellos pueden ser muy rápidos. Esto se llama "cleptoparasitismo". Las fragatas también pueden agarrar peces pequeños en la superficie del agua con una simple agitación de su pico con gancho.

Masked boobies perform a simple courtship with all the steps of the 'dance' being shorter and less obvious than Blue-footed Booby's. A spot on the ground is chosen for nesting, and a ring of guano can often be observed around the center of the nest, setting the boundary of the territory. Chicks or eggs that cross this boundary will be abandoned. Two eggs are laid, but only one chick will reach maturity—the extra egg is an 'insurance policy' in case the first is damaged or infertile. If both eggs hatch, the strongest of the siblings (generally the older one) will kill the other in order to survive.

I. Castro & A. Phillips
"The Birds of the Galápagos Islands"

Los "bobos" enmascarados desempeñan un simple cortejo con los pasos de la "danza" mas cortos y menos obvios que los de los "bobos" patitas azules. Eligen un lugar en la tierra para anidar y frecuentemente se observa un anillo de guano alrededor del centro del nido, señalando el límite del territorio. Los polluelos o huevos que crucen este límite serán abandonados. Dos huevos son puestos pero sólo un polluelo madurará - el huevo extra es "una aseguranza" en caso de que el primero esté dañado o infértil. Si ambos huevos empollan, el mas fuerte de los polluelos (generalmente el mayor) matará al otro para sobrevivir.

I. Castro & A. Phillips "Los pájaros de las islas Galápagos"

"In regard to the wildness of birds towards man, there is no way of accounting for it, except as an inherited habit: comparatively few young birds, in any one year, have been injured by man in England, yet almost all, even nestlings, are afraid of him; many individuals, on the other hand, both at the Galapagos and at the Falklands, have been pursued and injured by man, yet have not learned a salutary dread of him. We may infer from these facts, what havoc the introduction of any new beast of prey must cause in a country, before the instincts of the indigenous inhabitants have become adapted to the stranger's craft or power."

"La tosquedad de los pájaros hacia el ser humano no se la puede explicar mas que como hábitos hereditarios. Cada año sólo unos cuantos polluelos son lastimados por los seres humanos en Inglaterra, y aún así los recién nacidos les tienen miedo. Por otra parte, muchas aves, en ambas, las islas Galápagos y en las islas Malvinas, han sido perseguidas y lastimadas por los seres humanos, y las aves todavía no comprenden la necesidad de ser precavidas. Estos hechos nos muestran el desorden que causa la introducción de nuevas bestias de rapiña en una región, hasta que los instintos de los habitantes oriundos se adaptan a la habilidad o al poder del extraño."

Charles Darwin. "Voyage of the Beagle" *"El Viaje del Beagle"*, **1835**

"The Yellow Crowned Night Heron is a medium sized, plump, squat-looking heron. Sexes are alike. Head is darker than the rest of the body, showing a yellow crown and a distinctive white mark on the cheeks. When alarmed, two yellow aigrettes rise from the crown."

"La garza nocturna de corona amarilla es de tamaño mediano, redondeado y de apariencia en cuclillas. Los dos sexos se parecen. La cabeza es mas oscura que el resto del cuerpo,y muestra una corona amarilla con una distintiva marca blanca en las mejillas. Cuando está perturbada, dos crestas amarillas se levantan de su corona."

I. Castro & A. Phillips "The Birds of the Galápagos Islands" *(Los pájaros de las islas Galápagos)*

The Lava Heron is the only endemic heron species in the Galápagos. With its dark coloring and small hunched appearance, it is hardly noticeable against the lava rock background as it slinks along looking for food (mostly small fish and Sally Lightfoot crabs). It has been suggested that this color was favored from an evolutionary point of view as a means of enabling the heron to hide from predatory frigatebirds.

La garza lava es la única especie de garza endémica de las Galápagos. Con su color oscuro y su apariencia agachada, casi no se nota en el transfondo rocoso de lava mientras se escurre en busca de comida (mayormente peces pequeños y cangrejos "Sally Lightfoot"). Se sugiere que este color es un beneficio evolutivo que permite a la garza esconderse de las fragatas de rapiña.

The Galápagos hawk is a unique bird of prey. It has no predators itself, and is therefore on the top of the 'food chain'. With its sharp eyesight, the hawk may detect prey—mainly lizards, iguanas, snakes, finches, boobies, flycatchers and young goats—from a great distance. It will also eat dead animals, such as sea lions, sea birds, marine iguanas, goats and fishes.

El halcón de Galápagos es un ave de rapiña singular No es acosado por otras aves, así es que se encuentra en la cima de la cadena alimenticia. Con su vista aguda, el halcón puede detectar a larga distancia presas tales como lagartos, iguanas, serpientes, pinzones, "bobos", moscaretas y cabrillos. También se alimenta de animales muertos como leones y pájaros marinos, cabras y pescados.

Endemic to the islands, the Galápagos dove is the only resident member of the pigeon family. It lives in the dry zones, feeding largely on prickly pear cactus seeds and pulp. During courtship, mating pairs occasionally bow to each other, Japanese-style. The Galápagos dove is a beautiful bird, with its spectacular blue eye-ring as the focal point. In the past, many Galápagos doves were hunted for food. Now protected, and not in immediate danger of extinction, there is still concern over their reduced numbers in areas with feral cat populations.

La paloma Galápagos, endémica a las islas, es el único habitante miembro de la familia de las palomas. Esta vive en zonas secas y se alimenta principalmente de las semillas y de la pulpa de las tunas. Ocasionalmente, durante el cortejo, la pareja se hace reverencia al estilo japonés. La paloma Galápagos es un pájaro hermoso con la característica excepcional del ojo de círculo azul . En el pasado, se cazaban estas palomas para alimento. Ahora, están bajo protección, y sin peligro inmediato de extinción, pero todavía hay preocupación por su número bajo en lugares con poblaciones de gatos silvestres.

CHARLES ISLAND *(ISLA FLOREANA)*

Punta Cormorant, the north-east point of Floreana, has two highly contrasting beaches. The landing beach is of volcanic origin and composed of olivine crystals, giving it a greenish tinge. At the end of the short trail is a carbonate beach of extremely fine white sand. Formed by the erosion of coral skeletons and other marine organisms, it is used for nesting sites by green sea turtles. Situated between these two beaches is an extensive mangrove fringed salt lagoon frequented by groups of flamingoes, pintails, stilts and other wading birds.

La Punta Cormorant, la parte nordeste de Floreana, tiene dos playas que son muy diferentes. La playa de aterrizaje es de origen volcánico y está formada de cristales olivinos que le dan una tonada verdosa. Al final de un sendero corto, hay una playa de carbonato con una arena blanca muy fina. Formada por la erosión de esqueletos coralinos y otros organismos marinos, anida tortugas marinas verdes. Entre estas dos playas se encuentra una inmensa laguna salada franjeada de mangles y frecuentada por grupos de flamencos, gallos silvestres, zancudos y otras aves vadeadoras.

"It may seem very strange to talk of post offices in this barren region, yet post offices are occasionally found there. They consist of a stake and a bottle. The letters being not only sealed, but corked. They are generally deposited by captains of Nantucketers for the benefit of passing fishermen, and contain statements as to what luck they had in whaling or tortoise hunting. Frequently, however, long months and months, whole years, glide by and no applicant appears. The stake rots and falls, presenting no very exhilarating object."

"Parecerá extraño hablar de correos en esta región desértica, pero ocasionalmente se los encuentra. Consisten de una estaca y una botella. Las cartas no sólo están selladas pero también tapadas con corcho. Generalmente son depositadas por capitanes de "Nantucketers" informando a los pescadores pasajeros sobre la suerte que han tenido en la caza de ballenas o tortugas. Con frecuencia, pasan muchos meses y años enteros sin que aparezca un interesado. El estanco se descompone y se cae, dejando un objeto poco impresionante."

Herman Melville "The Enchanted Islands *(Las Encantadas)*" 1854

Floreana (Charles) Island is probably best known for its rather colorful history involving buccaneers, pirates, whalers, convicts and later colonists. In 1793 the Post Office barrel was established by British whalers as a means of sending letters to and from England. This goodwill tradition has been upheld over the years, and even today visitors may drop off and pick up letters, without stamps, to be carried to far destinations.

Quizás la isla Floreana sea mejor conocida por su colorida historia de bucaneros, piratas, pescadores de ballenas, convictos y luego colonos. En 1793 los pescaderos británicos de ballenas, establecieron el barril de correos para enviar y recibir cartas de Inglaterra. Esta tradición de buena voluntad se mantuvo a través de los años y hasta hoy en día algunos visitantes dejan y recogen cartas, sin estampillas, para ser llevadas a destinaciones lejanas.

Prickly Pear Cactus (also called Opuntia) is an outstanding example of adaptive radiation. Opuntia shrubs and trees have evolved. Some of the trees are impressively tall, a survival necessity from the days that tortoises roamed the islands in great numbers, seeking food and water from the fleshy stems. The trunks are now well-protected with spines and a heavy bark.

La tuna (también llamada Opuntia) es un buen ejemplo de la radiación adaptable. Los arbustos y los árboles de opuntia han evolucionado. Algunos de los árboles son impresionantemente altos. Esta es una necesidad de supervivencia desde los días en que muchas tortugas ambulaban por las islas en busca de alimento y del agua de los troncos carnosos. Los troncos ahora están bien protegidos con espinas y corteza pesada.

"Super-endemic" to the Galápagos (unique at the genus as well as the species level), and named for its characteristic shape, the candelabra cactus can also be readily distinguished by its tube-like pad segments. Like great organ pipes, the stately candelabra cactus towers to seven meters. Hundreds can be seen on the rocky hillsides. Often they spring up from lava flows where there appears to be no soil to which they can attach.

Super-endémico a las Galápagos (único en su género y en su nivel de especie) y llamado así por su forma característica, el cactus candelabro también se reconoce fácilmente por sus segmentos de corazas tubulares. Como grandes tubos de órgano, el majestuoso cacto candelabro, se eleva a siete metros. Se puede ver cientos de ellos en las colinas rocosas. A menudo, estos brotan de corrientes de lava donde parece no haber tierra donde enraízarse.

"Darwin's finches, a most singular group of finches, related to each other in the structure of their beaks, short tails, form of body, and plumage. There are 13 species. . . peculiar to this archipelago. The most curious fact is the perfect gradation in the size of the beaks in the different species. One might really fancy that from an original paucity of birds in this archipelago, one species had been taken and modified for different ends."

Charles Darwin, 1845

"Los pinzones de Darwin son un grupo muy singular, relacionados entre ellos por la estructura del pico, la cola corta, la forma del cuerpo y el plumaje. Hay 13 especies... propias a este archipiélago. Lo más curioso, es la perfecta gradación en el tamaño de los picos en las diversas especies. Se puede suponer, que de una escasez original de pájaros en este archipiélago, una especie ha debido de ser modificada para llegar a objetivos diferentes."

Darwin saw many examples in the Galápagos of one species eventually becoming another. What was especially surprising to him, and led him to the inescapable conclusion that adaptive processes were at work, was that one specie eventually became several, based on their habitat. The term used to describe this phenomena is adaptive radiation, and the most famous examples are the Galápagos finches. As a result of Darwin's work, these birds now bear his name and are called Darwin's finches. What Darwin saw were thirteen distinct finch species, each closely resembling each other in most ways, yet each had a characteristic beak structure well suited to a particular (specialized) food. Lack and Bowan, two scientists who studied finches after Darwin, each have their own views on their evolution. Lack thinks that isolation and competition were important factors in the evolution of the finches. Bowan thinks that only differences in food brought about a particular adaptation. Therefore, there was no competition between species.

En las Galápagos, Darwin vio muchos ejemplos de una especie convertirse en otra. Esto le sorprendió mucho y lo llevó a la conclusión de que los procesos de adaptación estaban en progreso y que una especie eventualmente se convertía en varias de acuerdo a su ambiente. La expresión usada para referirse a este fenómeno es radación adaptable, y el ejemplo primordial es de los pinzones de las Galápagos. Como resultado del trabajo de Darwin ellos ahora tomaron su nombre y se llaman "los pinzones de Darwin". Lo que Darwin vio eran 13 especies distintas de pinzones, todas pareciéndose mucho entre ellas, pero cada una con una estructura de pico apta para comida especializada. Lack y Bowan, aon dos científicos que estudiaron los pinzones después de Darwin; cada uno tiene su propia teoría sobre la evolución. Lack piensa que el aislamiento y la competencia eran factores importantes en la evolución de los pinzones. Bowan piensa que sólo la diferencia en el alimento llevó a una adaptación particular. Por lo tanto, no hubo competencia entre especies.

Leather leaf grows in the Galápagos as either a large shrub or small tree; it is easily recognized by the vertical orientation of the flat, yellow-green leaves. The net effect here is energy conservation, minimizing the leaf surface area exposed to the heat of the sun, also reducing water loss.

Las hojas de cuero crecen en las Galápagos ya sea como parte de un arbusto o como un árbol pequeño. Se reconoce fácimente por la dirección vertical de sus hojas chatas verdoamarillentas. El resultado es conservación de energía. Al reducir la superficie de la hoja expuesta al sol, se disminuye también la pérdida de agua.

The flat pads of the Opuntia shrubs are also covered with clusters of spine; this armor notwithstanding, the prickly pear pads are a major food and water source of land iguanas as well as tortoises. While the land iguanas are known to roll the pads on the ground to break the sharp spines, they frequently are seen eating the pad as is, spines and all!

Los cojines chatos de los arbustos de Opuntia están cubiertos también de racimos de espinas; a pesar de ello estas tunas espinosas son un proveedor principal de agua y alimento para las iguanas y las tortugas. Las iguanas terrestres ruedan las tunas en el suelo para quebrarles las espinas puntudas, pero a veces, se las ve comiendo estas tunas con espinas y todo.

Scalesia is another or those "super-endemic" plants, unique to the Galápagos at the genus as well as the species level. Related to daisies, several species have beautiful yellow flowers, characteristic of the sunflower family to which they belong.

La "scalesia" es otra de esas plantas "superendémicas" propias de las Galápagos en níveles de género y especie. Relacionada a las margarita, varias de las especies tienen hermosas flores amarillas, características de la familia del girasol, a la cual pertenecen.

The Greater Flamingo, numbers only about 500 individuals in all of Galápagos, living in many small salty lagoons dotted near flatter shorelines, where the water is not too deep for wading.

They feed on small aquatic insects and crustaceans which give rise to their pink coloration. They search for food in the silt, swinging its neck right and left. A sonar in the bill enables it to detect organisms; mainly small pink shrimp and algae. It digests the shrimp, but not the pink pigment, which it retains as its own beautiful coloring.

El Gran Flamenco, del cual se encuentran unos 500 individuos en todas las Galápagos, vive en las lagunas saladas cerca de las costas llanas donde el agua no es muy profunda para vadear. Se alimenta de pequeños insectos acuáticos y crustáceos que le dan la coloración rosada. Busca comida en el cieno, agitando su cuello de izquierda a derecha. El "sonar" del pico le ayuda a encontrar organismos, especialmente camaroncitos rosados y alga. Digiere el camarón, pero no el pigmento rosado, el que retiene como su propia hermosa coloración.

Flamingos, as their name implies, are the consummate flamenco dancers, featuring several birds pacing in synchrony, honking loudly, their necks stretched high and their heads turning back and forth. They are easily disturbed, they take flight if approached noisily. Common stilts, usually present in the area, always warn flamingos of any potential danger.

Los flamencos, como su nombre indica, son los increíbles bailadores de flamenco; con varios pájaros sincronizados, bocinando fuerte y meneando su cabeza de un lado para otro. Se molestan fácilmente y emprenden vuelo si se les acerca con ruido. Los cienos comunes de esta región generalmente avisan sobre cualquier peligro.

"But look, what are you woebegone regiments drawn up on the next shelf above? What rank and file of large strange fowl? What sea Friars of Orders Gray? Pelicans. Their elongated bills, and heavy leather pouches suspended thereto, give them the most lugubrious expression. A pensive race, they stand for hours together without motion. Their dull, ashy plumage imparts an aspect as if they had been powdered over with cinders. A penitential bird, indeed fitly haunting the shores of the clinkered Encantadas."

Herman Melville "The Enchanted Islands" (*"Las Encantadas"*) 1854

"Pero, miren, ¿qué tienen ustedes, un regimiento de desgraciados, escondido allí arriba? ¿Qué tropas de grandes aves extrañas? ¿Qué frailes marinos de órdenes grises? ¡Pelícanos!. Sus picos alongados con bolsos de cuero suspendidos les dan las expresiones más lúgubres. De una raza pensativa, pasan horas juntos y parados sin moverse. Su plumaje opaco les da el aspecto de haber sido pulverizados con ceniza. Es un pájaro penitente que muy a propósito ronda las costas de lava de las Encantadas."

The lava gull, endemic to the Galápagos Islands, is somewhat enigmatic. They may not have sound breeding patterns, but they are very protective when they do breed and are known for their dive-bombing attacks on intruders. From the rest of their habits, one can either classify lava gulls as lazy ne'er-do-wells or as filling the niche of the scavenger. They do scavenge, hanging around boat harbors and the fringes of coastal towns. They beg, permanently borrow, steal, and when they have to , hunt food. The loud laugh-like call supports their non-industrious image.

Las gaviotas de lava, endémicas de las islas G., son un poco enigmáticas. Aunque no tengan normas fijas de reproducción, son muy protectoras cuando reproducen y se las conocen por sus zambullidas estilo bomba cuando atacan a los intrusos. Al observar el resto de sus costumbres se puede concluir que están o llevando una buena vida o cumpliendo la función de basurero. Ellos recogen la basura en los alrededores de los puertos y en las orillas de pueblitos costeros. Ellos mendigan, piden prestado sin devolver, roban y cuando es necesario, cazan para comer. Su fuerte risada enfatiza esta imagen poco industriosa.

The marine iguana is the only lizard in the world that makes its living off the sea, swimming and diving to graze on algae. It is common on all Galápagos shores where it can be seen basking on the black lava, although it varies between islands, from the bright reddish Española form to the tiny variety of Genovesa.

La iguana marina es el único lagarto que vive fuera del mar, nadando y zambulléndose para alimentarse del alga. Es muy común a todas las costas G., donde se la ve asoleándose en la lava negra; aunque varía de isla a isla, entre un rojo brillante de la forma de la Española a la variedad pequeña de la Genovesa.

"Their tails are flattened sideways, and all four feet partially webbed. They are occasionally seen some hundred yards from the shore, swimming about; and Captain Collnett, in his Voyage says, 'They go to sea in herds fishing and sunning themselves on the rocks; and may be called alligators in miniature'."

Charles Darwin, 1835
"Voyage of the Beagle"
"El Viaje del Beagle"

"Sus colas están achatadas hacia los lados, y son palmípedas. A veces se las ve nadando a unas cien yardas de la costa. El Capitán Collnett, en su viaje dijo, "Ellas van a la mar en manadas a pescar y a solearse en las rocas y se las puede llamar cocodrilos en miniatura'."

A resident tern in the Galápagos, the noddi builds its nest of twigs in the cliffs. It feeds on the surface of the water, inshore. It may enter the water, but generally hovers low above fish schools. It is often associated with shearwaters and brown pelicans; by sitting on the heads of these larger birds it can wait for the small fish they catch. Known as the 'noddi' because of its courtship display, nodding its head in front of the mate, it is an opportunistic breeder.

La golondrinas del mar de las G., las "noddi" construyen su nido de paja en los acantilados. Se alimentan en la superficie del mar, en la costa. Pueden entrar en el agua, pero generalemente aletean bajo sobre las manadas de peces. A menudo, se asocian a los tijeritas y a los pelícanos marrones. Al sentarse en la cabeza de aves mas grandes pueden esperar para atrapar peces mas chicos. Se conocen como "noddi" por la forma de cortejo en la que menean la cabeza al frente de su pareja y son criadores oportunistas.

The yellow warbler, true to its family name, is a brightly colored songster, trilling a rapid series of clear, sweet notes. Its feeding habits are variable, including picking insects off trees, catching them in the air, and patrolling the intercoastal zone.

La curruca amarilla, tal como su nombre indica, es un cantor de color brillante, que trina una serie rápida de notas dulces y claras. Sus costumbres alimenticias son variadas, tales como picar insectos de los árboles, atraparlos en el aire, y patrullar el área intracostero.

The swallow-tailed Gull is the world's only nocturnal gull. The big black eyes are characteristic of the gull, which feeds only at night. Its nocturnal vision is made possible by the red eye ring which serves as a sort of sonar. It feeds offshore, looking for fish and squid. This night feeding habit has developed in response to competition from other sea birds during the daytime, in particular the tropicbird, which feeds during the day on the same food.

Although several characteristics of this species are tern like (long, pointed wings and short tail), it has webbed feet like the gulls. The physical adaptations to a nocturnal life include the white colour of the young (unique amongst gulls), which makes them conspicuous at night, the pale tip and base of the bill, and the large eyes.

La gaviota cola-de-golondrina es la única gaviota nocturna del mundo. Los ojos grandes y negros son característicos de esta gaviota, que se alimenta solamente de noche. Su visión nocturna es posible por el círculo rojo del ojo que le sirve como un tipo de "sonar". Se alimenta fuera de la costa, buscando peces y calamares. Esta alimentación nocturna la ha desarrollado en reacción a la competencia de otras aves marinas durante el día, en particular el ave tropical, que se alimenta de día de la misma comida. Aunque varias características de esta especie sean como las de las golondrinas del mar (alas largas y puntudas y colas cortas) son palmípedas como las gaviotas. Las adaptaciones físicas a la vida nocturna, incluyen el color blanco de los pichones (exclusivo a las gaviotas) el que las hace visibles de noche, la punta y base pálidas del pico y los ojos grandes.

The Red billed Tropicbird, is one of three species found in all warm oceans of the world. It spends most of its life on the high seas, returning to land only to nest. The loud group courtship, enhancing its streaming tail, takes place on the wing near the steep slopes and cliffs where nests are hidden in fissures.

El ave tropical de pico rojo, es una de las tres especies que se encuentran en todos los océanos calientes del mundo. Pasa la mayoría de su tiempo en altamar, regresando a tierra sólo para anidar. El cortejo ruidoso en grupo, en el que realza su cola fluyente, toma lugar en el ala cerca de escarpadas cuestas y acantilados donde los nidos se ocultan en grietas.

The slow growth of young frigate birds and their ability to fast, are remarkable adaptations to the irregularity of the food supply. The great frigate is therefore a 'tropical breeder', which means that it has a long reproduction cycle. Apparently the frigate reproduces every two years. It always returns to the same nesting site and does not show any sign of territorial aggressivity to other birds of the same species.

El crecimiento lento de los pichones de las fragatas y su habilidad de ayunar, son adaptaciones increíbles a la irregularidad de la provisión de alimento. La gran fragata es, por lo tanto, un criador tropical, lo que significa que tiene un ciclo reproductivo largo. Aparentemente la fragata se reproduce cada dos años. Siempre regresa al mismo lugar de su nido y no demuestra ningún signo de agresividad territorial hacia otras aves de la misma especie.

ALBERMARLE ISLAND (ISLA ISABELA)

Isabela Island is by far the largest of the archipelago. Some 130 km long and shaped somewhat like a seahorse, it is made up of six huge shield volcanoes joined together by extensive lava flows. Its peaks are the highest, Wolf Volcano being over 1,700 meters high, and has some of the most varied habitats to be found.

The small town of Villamil is situated on the southern shore of Sierra Negra volcano and has beautiful long beaches and flamingo lagoons. A road winds almost to the rim of the 10 km caldera and from there a walk around to Volcan Chico, which last erupted in 1979, will reveal stark landscapes and steaming fumaroles.

For jagged lava flows at their best, Punta Moreno on the west side of Isabela offers the chance to witness the first foothold that plants gain on a barren landscape. Secluded brackish water ponds harbor various water birds, including the shy flamingo and white cheeked pintail.

The mangrove lagoon areas of Elizabeth Bay are a wildlife community unto themselves. Rays, snappers and other fish, as well as turtles and the occasional sea lion, can be spotted gliding through the still waters, while herons may hunt among the tree roots. On the little islands at the mouth of the bay, especially at dawn and dusk, groups of Galápagos penquins can be seen from a dinghy.

Urvina Bay comprises a large area of seabed that was uplifted in 1954. The trail inland passes amongst a variety of marine organisms that were left high and dry, large coral heads being the most prominent feature.

La isla Isabela es sin duda la más grande del archipiélago. Mide unos 130 km de largo y tiene la forma de un caballo marino y está compuesta de seis volcanes protectores unidos por un extenso flujo de lava. Sus picos son los mas altos, el Volcán Lobo mide 1,700 metros y tiene algunos de los ambientes mas variados del mundo.

El pequeño pueblo de Villamil se encuentra en la costa sur del Volcán de la Sierra Negra y tiene playas largas y hermosas y lagunas con flamencos. Un camino sube casi hasta la punta de la caldera a los 10 km y de allí, una caminata alrededor hasta el Volcán Chico, que estalló por última vez en 1979, muestra increíbles panoramas y agujeros volcánicos con vapores.

Como un excelente ejemplo de flujos de lava dentados, la Punta Moreno, en la parte occidental de Isabela, muestra el primer fundamento que obtienen las plantas en un terreno estéril. En algunos charcos apartados de agua salobre se encuentran los flamencos tímidos y los gallos silvestres de mejillas blancas.

Las áreas de lagunas de mangles de la Bahía Elizabeth forman un ambiente fáunico en sí mismo. En las aguas tranquilas, se pueden ver los rayas, los mordedores, y otros peces como también tortugas y a veces leones marinos. Se ven garzas cazando entre las raíces de los árboles. En las pequeñas islas de la boca de la bahía, se puede ver desde un bote, especialmente al amanecer y al atardecer, grupos de pingüinos Galápagos.

La Bahía Urvina comprende una zona grande de fondo marino que se desbordó en 1954. El sendero tierra adentro cruza por una variedad de organismos marinos que quedaron secos. Las cabezas coralinas son los rasgos mas prominentes.

"Here and there a semblance of meadow offered a temporary haven. The rich, red, pasty earth supported a rather dense growth of coarse grass, but after a dozen steps I shifted back, in preference, to the terrible piles of shifting lava disks, for each clump of pseudo-grass gave off at a touch a host of seeds, barbed and re-barbed, and the effect on clothes and skin was like a hundred fish-hooks."

William Beebe – "Galápagos: World's End (El final del mundo)" 1924

"Por todas partes, el aspecto de un prado ofrecía un asilo temporal. La rica tierra rojiza y pastosa mantenía un crecimiento denso de pasto tosco, pero tras una docena de pasos, retrocedí y opté por las pilas terribles de discos de lava mudables, ya que cada montón de pasto falso desprendía una gran cantidad de semillas, púas y más púas, que tenían el efecto de anzuelos sobre la piel y la ropa."

"An interesting situation occurs on the largest island of Isabela, where five of the six major volcanoes are inhabited by distinctive subspecies of tortoises. These populations are isolated from each other by stretches of extremely and, inhospitable terrain that includes much tracherous "aa" lava. Nobody knows whether the tortoises colonized Isabela when the island was divided into six separate islands (each consisting of one of the major volcanoes) or whether the colonization occurred after further volcanic activity had merged the smaller islands into the one huge island now known as Isabela. Nevertheless, the barren lava that separate the different volcanoes are just as effective a barrier to tortoises as the ocean that once separated the volcanoes."

"Una situación interesante se presenta en la isla más grande de Isabela, donde distintas subespecies de tortugas habitan los cinco o seis volcanes. Estas poblaciones están aisladas entre, sí por segmentos de terreno inhospitalario y extremo que incluye mucha lava traicionera "aa". No se sabe si las tortugas colonizaban Isabela cuando ella estaba dividida en seis islas separadas (consistiendo cada una de uno de los volcanes principales), o si la colonización ocurrió despues de que la continuación de actividad volcánica uniera las islas más pequeñas en una enorme, luego conocida como Isabela. No obstante, la lava estéril que separa los diferentes volcanes es una barrera tan eficiente para las tortugas como el océano que antes separaba los volcanes."

"Galápagos" Steadman & Zousner, Smithsonian, 1988

"Nor would the appellation 'enchanted' seem misapplied in still another sense. For concerning the peculiar reptile inhabitant of these wilds—whose presence gives the group its second Spanish name, Gallipagos—concerning the tortoises found here, most mariners have long cherished a superstition not more frightful than grotesque. They earnestly believe that all wicked sea officers, more especially commodores and captains, are at death (and in some cases before death) transformed into tortoises, thenceforth dwelling upon these hot aridities, sole solitary lords of Asphaltum."

Hermann Melville , 1854
"The Enhanted Islands " *("Las Encantadas")*

"El nombre 'Encantada' no parece ser mal usado por aún otro motivo. En respecto al reptil peculiar habitante de estas regiones silvestres - cuya presencia le da al grupo su segundo nombre español, 'Gallipagos' - referente a las tortugas que se encuentran allí, muchos marineros mantuvieron una superstición no tanto temible como grotesca. Ellos creen sinceramente que los oficiales marinos malvados, en el momento de su muerte (ya a veces antes de la muerte) se transforman en tortugas, y de ahí viven en estos lugares áridos como señores del Asfalto."

22

En Santo Tomás, los que fuimos lo suficientemente valientes, montamos (a veces con ayuda) a caballo la subida al Volcán Sierra Negra que tiene una caldera que mide 10 km de ancho. Comenzamos con una llovizna nebulosa pero templada. Al llegar a la cima, con calor y sed, nos desplomamos bajo la sombra de un árbol hermoso e hicimos un picnic con nuestro almuerzo. Después de almorzar caminamos en los campos de lava para ver los respiraderos de vapor. A la vuelta, Dan se paró para fotografiar la caldera pero se frustró en el proceso porque no tenía un objetivo lo suficientemente ancho como para embarcar toda la caldera. Mientras estaba intentando esto, escuchó un grito de Carlos, nuestro guía, y se dio cuenta que este se había caído del caballo. Después de asegurarse de que Carlos estaba bien, excepto por una leve herida en el pie, Dan corrió tras el caballo de Carlos y pudo agarrarlo y traerlo de vuelta para que lo llevara a Carlos. Al regresar a Santo Tomás, nos acogieron con un refrigerio, un té de pasto de limón y unas sabrosas empanadas. Fue un día largo, pero inolvidable.

Sp

At Santo Tomás, those of us who were brave enough to try, climbed (sometimes with help) onto the horses for the climb to the Sierra Negra Volcano with a caldera measuring about 10 km across. We started out in a misty but warm rain. After reaching the top, hot and thirsty, we dropped under a beautiful shade tree for our picnic lunch. After lunch we hiked over lava fields to view the steam vents. On the trip back, Dan stopped to photograph the caldera but was frustrated with the photography because he did not have a wide enough lens to get in all of the caldera. While trying to deal with this, he heard an outcry from Carlos, our guide, and realized he had been thrown from his horse. After seeing that Carlos was OK, except for a slight foot injury, Dan took off after Carlos' horse and managed to grab on to him and bring him back to carry Carlos out. After arriving back at Santo Tomás, we were greeted with cold drinks, hot lemon grass tea and wonderful empanadas. It was a long, but memorable day. Sp

"Let us first glance low down to the lowermost shelf of all, which is the widest, too, and but a little space from high-water mark. What outlandish beings are these? Erect as men, but hardly as symmetrical, they stand all around the rock like sculptured caryatides, supporting the next range of eaves above. Their bodies are grotesquely misshapen, their bills short, their feet seemingly legless; while the members at their sides are neither fin, wing, nor arm. And truly neither fish, flesh, nor fowl is the penguin; as an edible, pertaining neither to Carnival nor Lent; without exception the most ambiguous and least lovely creature yet discovered by man. Though dabbling in all three elements, and indeed possessing some rudimental claims to all, the penguin is at home in none. On land it stumps; afloat it sculls; in the air it flops. As if ashamed of her failure, Nature keeps this ungainly child hidden away at the ends of the earth…"

Herman Melville, 1854
"The Enchanted Islands" (*"Las Encantadas"*)

"Miremos, primero, bien abajo al estante más bajo de todos, al que también es el más ancho, donde hay un espacio protegido de la altamar. ¡Qué creaturas exóticas son estás! Eregidas como los humanos, pero no tan simétricas, paradas alrededor de las rocas como cariátides manteniendo el próximo nivel de socarrenes. Sus cuerpos están grotescamente malformados, sus picos cortos, sus patas sin piernas; los miembros a sus lados no son ni aletas, ni alas, ni brazos. Y realmente, el pingüino no es ni pez, ni mamífero, ni ave. Como comestible, no pertenece ni al Carnaval ni a la Cuaresma. Sin duda, es la creatura más ambigua y menos atractiva descubierta por el hombre. Aunque posee los tres elementos, y algunos elementos de todos, el pingüino no es propio de ninguno. En la tierra renquea, en el agua cingla, en el aire se desploma. Como si se avergonzara de sus imperfecciones, la naturaleza oculta esta creatura en los confines de la tierra".

In the Galápagos, there is a plant that has an aromatic sap –the palo santo. In mainland Ecuador, at the coast, if you want to get rid of mosquitoes, you burn some palo santo branches: no mosquitoes and a nice fragrance. Well, in September 1991, I was looking at the sky while we were navigating from Tower Island to Tagus Cove at Isabela. Suddenly I smelled palo santos being burned. I ran to the bridge thinking "These darn crew members! Somebody has cut some palo santos from Tower and is now burning it." When I got to the bridge, the crew member steering was flabbergasted. There was this beautiful spectacle of red and yellow at the horizon. An eruption was taking place at the island of Marchena, an island that we (foolish us) considered extinct. The smell came from the palo santos being burned, yes, but by lava.

Desiree Cruz

En las Galápagos., hay una planta que tiene una savia aromática- el palo santo. En el Ecuador continental, en la costa, si se quiere deshacer de los mosquitos, se quema el palo santo y no hay mosquitos, pero sí, una fragancia linda. A mediados de septiembre de 1991, yo estaba mirando el cielo mientras navegábamos de la isla de la Torre a la Ensenada de Tagus, en Isabela. De repente, olí palos santos quemándose. Corrí al puente pensando: "¡Estos endemoniados tripulantes! Alguien ha cortado palo santo de la torre y ahora lo está quemando." Cuando llegué al puente, el tripulante que dirigía, estaba pasmado. Había un hermoso espectáculo en amarillo y rojo en el horizonte. Era una erupción en proceso en la isla de Marchena, una isla que nosotros inocentemente dábamos por extinta. El aroma venía del palo santo que se estaba quemando, sí, pero por la lava.

"The entire surface of this part of the island seems to have been permeated, like a sieve, by the subterranean vapours; here and there the lava, whilst soft, has been blown into great bubbles; and in other parts, the tops of caverns similarly formed have fallen in, leaving circular pits with steep sides. "

"La superficie entera de esta parte de la isla parecía haber estado penetrada, como un colador, por vapores subterráneos. Por todas partes, la lava, mientras estaba blanda, se inflaba en burbujas grandes. En otras partes las capas de las cavernas que se habían formado de un modo similar se desplomaban, dejando huecos circulares de bordes abruptos." Viaje del Bea-

Charles Darwin—"Voyage of the Beagle *(El Viaje del Beagle)*", 1835

Normally you see patterns on the lava when it is a Pahoehoe flow. When it flows, it has a lot of dissolved gasses in it which makes the lava more liquid. When the gases come up to the surface of the lava, they change from solution to form ripples and bubbles or lava blisters.

Normalmente, en la lava se ven unas formas si es un flujo de Phoehoe. Cuando fluye, tiene en ella muchos gases disueltos lo que la hace más líquida. Cuando los gases suben a la superficie de la lava, cambian de solución y forman onditas y burbujas o sea ampollas de lava.

Macarena Green

"If now you desire the population of Albemarle (Isabela Island), I will give you, in round numbers, the statistics, according to the most reliable estimates made upon the spot:

"Si desean tener la población de Albemarle (La isla Isabela) les doy en números redondeados, la estadística tomada de nuestras fuentes de confianza locales:

Men..	None
Anteaters.................................	Unknown
Man-haters	Unknown
Lizards	500,000
Snakes......................................	500,000
Birds, Spiders, Tortoises	10,000,000
Salamanders.............................	Unknown
Devils.......................................	Unknown
Making a clean total of.............	11,000,000"

Hombres	None
Pangolines..	no se sabe
Cazadores de hombre..........................	no se sabe
Lagartos	500,000
Viboras	500,000
Aves, arañas, tortugas	10,000,000
Salamandras.......................................	no se sabe
Demonios..	no se sabe
Tenemos un total................................	11,000,000"

Herman Melville—"The Enchanted Islands *(Las Encantadas)*" 1854

One of the sea lion's favorite games is surfing a big wave as it is about to crash on the shore. Another game is "water polo", using a marine iguana instead of a ball. The unfortunate reptile is caught by the tail and gleefully thrown up in the air.

Uno de los pasatiempos favoritos del león marino es practicar el surf en las olas grandes cuando éstas están por romperse en la costa. Otro juego es el "polo en vez de pelota. Agarran al pobre reptil por la cola y alegremente lo echan en el aire.

"These lizards were marked with colours which I was beginning to expect in these islands, grey and black and scarlet-ash, and lava and flame – appropriate for a land where every hill was a volcano, every path a flow of lava, and with the plants growing from tufa beds and ash heaps. They ran and frolicked about, running in and out of the lava crevices, with always a lookout for maurauding birds."

"Estos lagartos se distinguían por su color, lo que yo anticipaba en estas islas - gris, negro, rojo-ceniza, lava y fuego - apropiado para un territorio donde cada colina era un volcán, cada sendero un flujo de lava y plantas que crecían en huertos de toba y montoncitos de ceniza. Corrían y jugueteaban, entrando y saliendo de las grietas de lava, siempre precavidos por las aves de rapiña."

William Beebe—Galapagos: "World's End" *(Final del Mundo)* 1924

Numerous examples of island uplift have been observed on the west coast of Isabela Island, a tectonic uplift in 1954 brought coral heads and marine life five metres above sea level. It was followed a few months later by an eruption on the slope of Alcedo volcano.

Se han visto muchos ejemplos de levantamiento de la isla en la costa occidental de Isabela. Un levantamiento tectónico en 1954 trajo cabezas coralinas y mariscos a más de 5 metros sobre el nivel del mar. Unos meses más tarde lo siguió una erupción en la cima del volcán Alcedo.

Bleached coral heads at Urvina Bay on Isabela, stranded when the surrounding sea floor was uplifted by up to 20 feet in 1954, are part of the changing geology of the Galápagos. Terrestrial vegetation is gradually starting to take over this parched seascape.

Las blanqueadas cabezas coralinas de la Bahía de Urvina en la Isabela, atrancadas por el circundante fondo del mar, que se elevó por 20 pies en 1954, son parte de la geología que está cambiando en las Galápagos. La vegetación terrestre se está esparciendo gradualmente sobre este panorama marino desecado.

"What Darwin and Melville may have suspected, but never experienced was the splendor found beneath the surface of the Galápagos sea. The underwater panoramas are as unique and fascinating as the above water scenes, yet belong to another world. Above water, the islands are basically a volcanic wasteland, with little flora and fauna. Only the fittest survived the struggle – so maintains Darwin.

I have experienced no other marine environment in the world where the unexpected happens on such a regular basis – exciting events are witnessed on nearly every dive. You can be swimming along a sheer underwater cliff with nothing special happening, when suddenly you are enveloped in a swirling school of silvery amberjacks, ranging from three to four feet in length. On other occasions you may subliminally feel the presence of something, look up and find a school of golden rays, passing overhead, silhouetted against the sun's radiant glow."

"Lo que Darwin y Melville pueden haberse imaginado pero nunca presenciado es el esplendor que se encuentra en el fondo del mar de G. Los panoramas subacuáticos son tan raros y fascinantes como las vistas que hay sobre el agua, pero perenecen a otro mundo. Sobre el agua, las islas son básicamente un desperdicio volcánico, con escasas fauna y flora. Sólo los más adeptos sobrevivieron la lucha - como sugiere Darwin.

Yo no he presenciado ningún otro ambiente marino en todo el mundo, donde lo inesperado ocurra tan regularmente.
Se ven cosas emocionantes con cada zambullida. Se puede estar nadando a lo largo de un acantilado submarino sin que ocurra nada especial, cuando de repente uno se ve envuelto en una escuela de lusos ambar de tres a cuatro pies de largo. En otros momentos se puede sentir la presencia de algo, se mira para arriba y se ve una escuela de rayas dorados cruzando sobre la cabeza con sus siluetas delineadas por el radiante brillo del sol."

Paul Humann "Galápagos" 1988

"Catch of the day"

There was always plenty of fresh fish on our expedition vessel, including some unknown delicacies removed from the fish during the cleaning process which some of the guests were brave enough to try.

Sp

"La pesca del dia"

Siempre había mucho pescado fresco durante nuestras expediciones en barcos. Inclusive algunas delicias desconocidas, sacadas del pescado en el proceso de la limpieza, las que algunos invitados probaron con valentía.

Sp

The flightless cormorant is endemic to the Galápagos and is the only grounded cormorant species in the world. This is yet another fascinating example of evolution to fill a niche. In this case, the niche was the lack of competition for an available food source (bottom fish, eels, and octopuses) close to shore. At the same time, there was a lack of predators, thus reducing the need to flee on the wing. What took place was a slow gradual evolution to a streamlined body (for swimming speed) and strong legs (for powerful diving ability) while the wings and supporting musculature atrophied through the generations. The sparsely feathered wings are now considered vestigial.

Not only does the flightless cormorant swim as a means of hunting, but for romantic purposes as well. In a courtship display reminiscent of an Esther Williams movie, both male and female engage in an aquatic dance.

In behavior uncharacteristic of Galápagos sea birds, flightless cormorants do not mate for life. In fact, after the eggs are hatched and the chicks partially raised, the female often takes up with another male, leaving dad to continue raising the young on his own.

El corvejón que no vuela es endémico de las G. y es el único corvejón terrestre del mundo. Este es otro ejemplo fascinante de la evolución que llena un espacio hueco. En este caso el hueco era la falta de competencia para un proveedor de alimento disponible (peces de fondo, anguilas y pulpos) cerca de la costa. Al mismo tiempo, no había rapiñadores para evitar con el vuelo. Lo que siguió fue un proceso gradual de evolución hacia un cuerpo aerodinámico (para velocidad de natación) y patas fuertes (para una zambullida fuerte) mientras que las alas y la musculatura que las mantenía, se atrofiaron a través de las generaciones. Las escasas alas con plumas son ahora sólo un vestigio.

No sólo el corvejón no vuela nada para cazar, sinó tampoco para hacer el amor. En una exhibición de cortejo, que recuerda una película de Esther Williams, ambos, el macho y la hembra desempeñan un baile acuático.

En un comportamiento poco común a las aves acuáticas de las G., los corvejones no acoplan para toda la vida. Tal es que despúes de empollar el huevo, y cuando el pichón ya está un poco criado, la hembra se empareja con otro macho, dejando al padre la crianza del pichón.

"Some of these lizards inhabit the high and damp parts of the islands, but they are much more numerous in the lower and sterile districts near the coast. I cannot give a more forcible proof of their numbers, than by stating that when we were left at James island, we could not for some time find a spot free from their burrows on which to pitch our single tent".

Charles Darwin—"Voyage of the Beagle" *(El Viaje del Beagle)* **1835**

"Algunos de estos lagartos habitan las partes altas y húmedas de las islas, pero hay muchos mas de ellos en las regiones bajas y estériles cerca de la costa. No puedo converncerles mejor de su grandiosa cantidad, que contándoles que cuando nos dejaron en la isla James, no pudimos encontrar por un rato un espacio vacío de ellos para asentar nuestra carpa."

Unfortunately, the land iguana has drastically declined in numbers since Darwin's day and is now an endangered species. Although the adults have no natural predators, they were reportedly considered quite tasty when roasted, and many have come to such a fate at the hands of man through the years.

Desfortunadamente, el número de iguanas terrestres ha disminuído drásticamente desde los tiempos de Darwin y ahora es una especie en peligro de extinción. Aunque los adultos no tienen rapiñadores naturales, se los consideraba muy ricos asados y a muchos les tocó esta suerte, en manos del hombre a través de los años.

NARBOROUGH ISLAND *(LA ISLA FERNANDINA)*

Narborough Island is the youngest and most active volcano in the Galápagos, with eruptions taking place, on average, every few years. Its steep flanks are streaked by successive lava flows, only a few of which are old enough to support islands of vegetation. It is also one of the most pristine islands, with none of man's introduced species to date. A walk over the flat lavas of Punta Espinosa gives a taste for this stark landscape, save for the occasional clump of pioneering Brachycereus cactus and the green fringe of mangrove. Along the shoreline vast colonies of marine iguanas bask in the sun, sometimes watched over by a Galápagos hawk.

La isla Fernandina es el volcán más joven y activo de las G., con erupciones regulares cada tantos años. Sus lados escarpados están rayadas por los continuos flujos de lava. Sólo algunos de ellos son lo suficientemente viejos como para mantener islas de vegetación. Es también una de las islas mas prístinas, sin ninguna de las especies introducidas por el hombre hasta el día de hoy. Una caminata sobre las lavas llanas de Punta Espinosa permite ver el panorama rígido, excepto por algunos grupos de cactos braquicéreos abriendo camino y la franja verde de mangles. A lo largo de la costa grandes colonias de iguanas marinas se asolean, a veces bajo la mirada de un halcón Galápagos.

In January 1995, Fernandina volcano became active once again. This time it took place at Cape Hammond, southwest corner of the island. Everybody got excited and changed courses to get to see the eruption. The active vent was relatively low so the lava flowed down into the ocean. We could clearly see the rivers of lava oozing down into the sea. The first week, most of the boats remained about four miles away. The next week, about a mile away; the following, three quarters of a mile, and so on.

So to add a little bit of excitement, there was an unspoken contest among us: who would get the closest. There are stories of boats being only 100 yards away from the lava cascading into the water, and some other of pangas being partially burned because of being almost next to the flow. Four miles or 100 yards away, it has been the most beautiful geological event I have ever witnessed in my life. It was like a lecture on geology in a wordless way.

En enero de 1995, el volcán Fernandina estalló otra vez. Esta vez ocurrió en la esquina sudoeste de la isla. Todos se enthusiasmaron cambiaron curso para ver la erupción. El respiradero activo era relativamente bajo y la lava fluyó al océano. Podíamos ver claramente los ríos de lava deslizándose al mar. La primera semana la mayoría de los botes se mantuvo a unas cuatro millas de distancia. La próxima semana, a una milla, después a tres cuarto y así siguió.

Tal es que para aumentar la emoción, hubo una competencia sin palabras entre nosotros; quién se acercaría mas. Hubo historias de botes a100 yardas de la lava deslizante al mar, y otras de pangas quemados parcialmente por haber estado casi al lado del flujo. A cuatro millas o 100 yardas, estaba el acontecimiento geológico mas hermoso que yo he presenciado en mi vida. Fue como una lección de geología sin palabras.

Desiree Cruz

When I first saw these crabs and learned that their name was "Sally Lightfoot", I could not help but change their name in my mind to "Sally Rand Lightfoot" after the famous colorful strip-tease dancer of my younger days.

Cuando yo vi estos cangrejos por primera vez y me enteré de que se llamaban "Sally pies ligeros". No pude resistir en cambiar el nombre mentalmente a "Sally Rand de pies ligeros' en honor a la famosa "strip tease" de mi juventud.

These beautiful bright red crabs are everywhere to be seen on the black lava rocks, a scene offering striking contrast. They are named for their nimble, "light footed" scurrying motion, sometimes up and down or upside down across the rocks and over the water. Incidentally, the little black crabs you see everywhere on the lava rocks are juvenile Sally Lightfoots. Being smaller and more vulnerable to predation by shore birds, they need more camouflage coloring.

Estos hermosos cangrejos de rojo brillante están en todas partes sobre las rocas de lava, creando una escena de grandes contrastes. Se los llamó así por su movimiento ligero y escurridizo, a veces de arriba abajo y patas para arriba a través de las rocas y por toda el agua. A propósito, los cangrejitos negros que se ven en las rocas de lava son "Sally pies ligeros". Al ser mas pequeños y vulnerables a las aves de rapiña costeras, necesitan más color de de camuflage.

"Nothing could be less inviting than the first appearance. A broken field of black baslatic lava, thrown in the most rugged waves, and crossed by great fissures."

Charles Darwin "The Grottos (El Grottos)" 1855

"Nada puede ser menos acogedor que las primeras impresiones. Un campo fragmentado con lava baslática dispersada en ondas muy ásperas, y atravesada por grietas grandes.

The lava bridges over water are remains of collapsed huge lava tubes. They are perfect places for fur sea lions to hide from the equatorial heat.

Macarena Green

Los puentes de lava sobre las aguas son los restos de enormes tubos de lava derrumbados. Son lugares ideales para que los leones marinos con piel se protejan del sol ecuatorial.

"Excepting during one short season, very little rain falls, and even then it is irregular; but the clouds generally hang low. Hence, whilst the lower parts of the islands are very sterile, the upper parts, at a height of a thousand feet and upwards, possess a damp climate and a tolerably luxuriant vegetation. This is especially the case on the windward sides of the islands, which first receive and condense the moisture from the atmosphere."

Charles Darwin–
"Voyage of the Beagle *(El Viaje del Beagle)*"

"A excepción de una corta temporada, cae muy poca lluvia, y aún entonces es muy irregular; pero las nubes, por lo general se mantienen bajo. Por lo tanto, mientras las partes bajas de la isla son muy estériles, las partes altas, a los mil pies y más, tienen un clima húmedo y una vegetación un tanto lujosa. Este es el caso de las partes ventosas de las islas, que reciben primero la humedad y la condensan."

On islands that are still dominated by lava formations, the superendemic lava cactus is one of the few visible plants; it is considered a "pioneer" or colonizer plant. With bright yellow-tipped coloring and microphone shapes, the clumped formations are visually appealing and dramatically stand out from the barren fields of lava.

En las islas que aún están dominadas por la formación de lava, el cacto de lava superendémico es una de las pocas plantas visibles. Se lo considera una planta exploradora o colonizadora. Estas formaciones agrupadas, con puntas de amarillo brilloso en forma de micrófono, son muy atractivas a la vista y sobresalen dramáticamente entre los campos desiertos de lava.

Although most of the larger birds of the Galápagos are somewhat aggressive in order to survive, this endemic Galápagos hawk is the only true raptor in the islands. He is a very proud bird and has absolutely no fear of man. I was about six feet away when I photographed him and he seemed to be just posing and waiting for me to take his picture while our group became very impatient!

Aunque la mayoría de los pájaros de las G. son un poco agresivos para poder sobrevivir, este halcón endémico Galápagos es una de las verdaderas aves de presa de las islas. Es un pájaro muy orgulloso y no le teme en absoluto al hombre. Yo estaba a seis pies de él, cuando lo fotografiaba y él parecía estar posando y esperando que yo tomara la foto; mientras nuestro grupo se impacentaba.

A female hawk will mate with up to four males and make four different nests. Each male will take care of a nest. The female is larger than the male. The reason for this polyandry may be due to the difficulty in finding an appropriate territory, or to the limited number of available territories.

Una hembra de halcón puede acoplar con hasta cuatro machos y hacer cuatro nidos diferentes. Cada macho se ocupa del nido. La hembra es más grande que el macho. El motivo de esta poliandria puede ser la dificultad de encontrar un territorio apropiado, o el limitado lugar de los territorios disponibles.

Sea lions cannot pant or sweat to control their temperature, so you will often see them with a flipper in the air, a cooling off behavior. So does the behavior of stretching their heads way back, almost onto their shoulders. This resting behavior is related to the fact that pinnipeds do not have clavicles, which in turn seems to be an adaptation that gives them more head flexibility for catching fish.

Los leones marinos no pueden transpirar o palpitar para controlar su temperatura, así es que a menudo se los ve con un aleta en el aire, para refrescarse. También estiran su cabeza hacia atrás, casi hasta los hombros, con este propósito. Esta postura de descanso se debe a que los pinapedos no tienen clavículas, y esto es una adaptación que les permite más flexibilidad en la cabeza para atrapar peces.

38

Just north of James Bay is Buccaneer Cove, a particularly scenic area of steep cliffs and dark beaches. This location was of special importance to sailing ships in centuries past as they could be beached for careening, and water and tortoises were available for restocking the holds. A large population of feral goats now frequents this part of the island and may be seen grazing the hillsides. An area of the point has been fenced off to protect the native vegetation from their destructive foraging. On the eastern coast of James is Sullivan Bay, a large area of fresh pahoehoe, or ropey, lava flows dating from an eruption observed in 1897 by a sailing captain. A walk over this glazed black rock gives the impression of seeing the still molten lava, as every ripple swirl and bubble in its surface has been preserved.

Justo al norte de la Bahía James, está la ensenada "Bucanera", una área escénica de acantilados escarpados y playas oscuras. Este lugar tenía gran importancia para los barcos navegantes a través de los siglos, ya que podían carenarlos y había agua y tortugas disponibles para provisionarse. Una gran población de cabras salvajes ahora frecuenta estas partes de la isla y se las ve paciendo en las colinas. Una zona de la punta ha sido cercada para proteger la vegetación oriunda de la destrucción forrajera. En la costa oriental de James está la Bahía Sullivan, una zona grande de pahoehoe fresco, o cordoso, con flujos de lava que datan a una erupción volcánica observada por un capitán navegante en 1897. En una caminata sobre esta superficie lustrosa de roca negra, se siente la impresión de ver la derretida lava inmóvil, ya que cada ondulación y burbuja en su superficie está conservada.

Although all marine iguanas are regarded as a single species, they vary in size and color from island to island. The marine iguanas from Santa Cruz, Isabela, and Fernandina are the largest, those from Española and Genovesa are the smallest. The marine iguanas from Española are brightly colored in shades of red, whereas those from Genovesa are uniformly flat black or dark gray. On Isabela and Fernandina, the adult male marine iguanas are beautifully blotched in shades of gray, black, green and red. All juvenile marine iguanas are black.

Aunque todas las iguanas marinas se consideran una sola especie, ellas varían en tamaño y color de isla a isla. Las iguanas marinas de Santa Cruz, Isabela y Fernandina son las más grandes, las de Española y Genovesa son las más pequeñas. Las iguanas marinas de Española son de colores brillantes en tintes rojos, mientras que las de Genovesa son uniformemente chatas en negro o gris oscuro. En Isabela y Fernandina, el macho adulto de la iguana marina tiene unas manchas hermosas en tintes de gris, negro, verde y rojo. Todas las iguanas marinas adolescentes son negras.

JAMES ISLAND (*ISLA SANTIAGO*)

"Upon the beach of James Isle, for many years was to be seen a rude fingerpost, pointing inland. And, perhaps, taking it for some signal of possible hospitality in this otherwise desolate spot—some good hermit living there with his maple dish—the stranger would come out in a noiseless nook and find his only welcome, a dead man—his sole greeting the inscription over a grave. Here, in 1813 fell, in a daybreak duel, a lieutenant of the U. S. frigate 'Essex' , aged twenty one—attaining his majority in death."

Herman Melville—"The Enchanted Islands *(Las Encantadas)*" 1854

"Sobre la playa de la isla de James, se veía por muchos años un poste rústico con un dedo señalador de camino isla adentro. Talvez podría tomárselo como señal de hospitalidad en ese lugar desolado - a excepción de algún buen hermitaño que viviera allí con su plato de arce. El extraño podría entrar en este escondrijo silencioso y encontrar como su única bienvenida, un hombre muerto y su único saludo una inscripción sobre el sepulcro " Aquí, en 1813 cayó en un duelo matutino, un teniente de la Fragata norteamericana 'Essex', a la edad de 21, obteniendo su mayoría de edad en la muerte"

The almost lunar appearance of the ashy slopes of James Island come from the pale gray Tiquilia plants, and the lava boulders tumbled from the spatter cones farther up, that scatter the volcanoes flanks.

El aspecto casi lunar de las cuestas cenizosas de las Isla James proviene del gris pálido de las plantas de Tiquilia, y de las peñas de lava caídas de los conos salpicados más allá, que esparcen los costados volcánicos.

Tuffstone formations on the shoreline create striking "coves", for lounging female sea lions and "Sally Rand" crabs. The fur sea lion of the Galápagos was near extinction at the beginning of the 20th century, following the plundering of their numbers by whalers and other skin hunters. It is the only tropical species of the genus, which was at first subantarctic.

Las formaciones de piedra volcánica en la costa crean caletas llamativas para que descansen las hembras de los leones marinos y los cangrejos "Sally Rand". El león marino de G. con pelaje estaba casi en extinción a comienzos del siglo XX, trás el despojo en grandes cantidades, por los balleneros y otros cazadores de piel. Es la única especie tropical de su género, el que una vez fue subantártico.

The entire surface of this part of the island seems to have been permeated, like a sieve, by the subterranean vapours: here and there the lava, whilst soft, has been blown into great bubbles; and in other parts, the tops of caverns similarly formed have fallen in, leaving circular pits with steep sides.

Charles Darwin
Voyage of the Beagle, 1835
El Viaje del Beagle

The fluid-looking patterns of the pahoehoe lava flow at Sullivan Bay are the result of volcanic upheavals during which still molten lava continues to move under the partly solidified skin like crust "freezing" it in motion for years to come.

Los ejemplares de apariencias fluídas,de los flujos de la lava "pahoehoe", en la Bahía Sullivan, son el resultado de solevaciones volcánicas durante las cuales todavia la lava mudable continúa moviéndose bajo la corteza, con apariencia de piel y parcialmente solidificada; congelándola en moción para los años venideros.

Endemic to the Galápagos, Sea urchins are scavenging herbivores, typically grazing on algae, using a complex feeding/locomoting network of tube-feet to transfer particles to a relatively sophisticated chewing apparatus called Aristotle's lantern.

Endémicos de las Galápagos. los erizos del mar son basureros herbívoros, que pacen comúnmente en las algas. Ellos usan un proceso complejo de alimento/locomoción con una red de tubos alimenticios para transferir partículas a un aparato de masticar relativamente sofisticado llamado la linterna de Aristóteles.

The underwater scene is rich in nutrients and teems with colorful life. Great schools of fish cruise the open water; at times they can be so thick that their shadow blocks out the sun. The reefs are an amazing profusion of invertebrate life as well. Swept by both cold water currents from Antarctica and warm currents from the tropical Pacific, the marine life is a bizarre mixture of cold-and warm-water species.

La escena subacuática es rica en nutritivos y abundante en una vida colorida. Grandes escuelas de peces raviesan el agua abierta. A veces pueden ser tan densos que sus sombras tapan el sol. Los arrecifes son también una abundancia de vida invertebrada. Influenciada por ambas, las corrientes de agua fría de la Antártica y las corrientes cálidas del Pacífico tropical, la vida marina es una mezcla extraña de especies de agua fría y caliente.

Pencil Sea Urchins, seen on the ocean bottom, are not to be stepped on, as the sharp spines are poisonous. Their skeletons are often spotted washed up on beaches. The spines are supposedly "pencil shaped", while some say the name is derived from the ability to use a spine as a writing instrument on rocks.

Los erizos marinos lápiz, que se ven en el fondo del océano, no se pueden pisar, ya que las espinas filosas son venenosas. Sus esqueletos se ven a menudo lavados en la playa. Agunos dicen que el espinazo tiene "forma de lápiz", pero otros mantienen que el nombre proviene de su habilidad de usar el espinazo para escribir en las rocas.

RABIDA ISLAND *(ISLA JERVIS)*

This island looks different from the other islands. Its reddish beach, cliffs and very steep slopes consist predominantly of volcanic cinders. A noisy colony of sea lions is in residence on the beach, and a short trail inland is a good place to observe land birds such as finches, doves, yellow warblers and mockingbirds. Hidden behind a narrow strip of green salt bush is a briny lagoon where flamingoes may be found, sometimes even nesting. Snorkeling along the rocks at the east end of the beach may reveal many of the reef fish common to these waters, and the ever present sea lions.

Esta isla se ve diferente de las otras. Su playa rojiza, sus acantilados y cuestas escarpadas consisten predominante- mente de cenizas volcánicas. Una colonia de leones marinos ruidosos reside en la playa. Desde un senderito isla adentro, se puede observar aves terrestres tales como pinzones, palomas, currucas amarillas y cerciones. Tras una franja angosta de arbustos verdes salados está escondida una laguna salada donde se encuentran flamencos, a veces aún anidando. Al bucear bajo el agua a lo largo de las rocas al este de la playa, se pueden ver muchos peces de arrecife, como también los leones marinos, que son tan comunes.

"But the dawn is now fairly day. Band after band, the seafowl sail away to forage the deep for their food. The tower is left solitary, save the fish-caves at its base. Its birdlime gleans in the golden rays like the whitewash of a tall lighthouse, or the lofty sails of a cruiser. This moment, doubtless, while we know it to be a dead desert rock, other voyagers are taking oaths it is a glad populous ship."

"Pero la aurora ya anuncia el día. En grupo tras grupo, las aves de forraje marino se sumergen en lo profundo en busca de alimento. La torre queda solitaria, excepto por las cuevas de peces en su base. Su liga brilla bajo los dorados rayos como el blanqueado de un faro alto, o los altos mastes de un crucero. En ese momento, mientras nosotros sabemos que es la roca en un desierto muerto, otros viajeros juran que es un barco con una gran tripulación."

Herman Melville—"The Enchanted Islands *(Las Encantadas)*" 1854

The Galápagos sea lions may be smaller than their ancestors, but the bulls are pretty hefty and can weigh up to 600 pounds. Males are distinguished by a larger girth, thicker neck, and a noticeable bump on the forehead. Their large size is used to advantage in territorial defense.

Los leones de mar de Galápagos son mas pequeños que sus antepasados, pero los toros pesan hasta 600 libras. Los machos se distinguen por su cincha más grande, el cuello más grueso, y una corcova llamativa en su frente. Su tamaño grande es una ventaja en la defensa territorial.

After no more than a few weeks of round the clock patrol duty, often going without food and sleep for extended periods, the beachmaster bull finally tires and is vanquished. There is a new champion, and the cycle repeats itself. Again and again. It's a curious process, and it is easy to think in terms of male vanity, chauvinism, etc. Perhaps, but I think it goes beyond that. The behavior is obviously useful or it would have evolved out. It doesn't seem related to family behavior, as there is no family unit per se.

Después de unas pocas semanas de patrullar las 24 horas, a menudo sin comida ni sueño por largos períodos, el toro maestro de la playa se cansa y se vence. Hay un nuevo campeón y el ciclo se repite. Una y otra vez. Es un proceso extraño y se puede analizarlo como vanidad masculina, machismo, etc. Quizás, pero yo creo que es más que eso. Este comportamiento debe tener algún beneficio o si nó se hubiera eliminado. No parece relacionarse a comportamiento familiar, ya que no hay tal unidad.

The bull is constantly at work defending his territory, barking out his warning to would-be challengers as he swims from one end of the territory to the other. As there are many bulls and few herds, the dominance of the resident bull is often tested. Often, he can stare (and bark) down the challenger, but occasionally fierce, bloody battles erupt.

El toro está constantemente defendiendo su territorio, aullando sus advertencias a los que quieran desafiarlo mientras nada de una punta a otra. Como hay muchos toros y pocas manadas, el dominio del toro residente está puesto a prueba con frecuencia. A menudo, puede clavar la mirada (y ladrar) a su rival, pero a veces estallan luchas sangrientas y feroces.

Entertainment will be provided, courtesy of the Galápagos sea lions. These playful aquatic mammals will swim with you, serenade you in the morning (and the rest of the day for that matter), and play catch with a twig (or sometimes a marine iguana).

Siempre habrá diversión por parte de los leones marinos. Estos mamíferos acuáticos juguetones nadan con uno, le cantan serenatas por la mañana (o el resto del día también) y juegan a la presa con una ramita (o a veces con una iguana marina).

During adolescence, the playful aquabatics of the sea lion pups are excellent practice for the feeding skills required later in life. Owing to their large pressure reinforced lungs and oxygen-rich blood, adult sea lions are capable of diving to depths of 500 feet and remaining under water for up to a half hour.

En su adolescencia, los juegos acuáticos de los cachorros de leones marinos, son una preparación excelente para alimentarse toda la vida. Gracias a sus pulmones reforzados de alta presión, y sangre llena de oxígeno, los leones marinos adultos pueden zambullirse a profundidades de 500 pies y mantenerse bajo agua hasta por media hora.

"One day, whilst lying down, a mocking-thrush alighted on the edge of a pitcher, made of the shell of a tortoise which I held in my hand, and began very quietly to sip the water. It allowed me to lift it from the ground whilst seated on the vessel. I often tried, and very nearly succeeded in catching these birds by their legs. Formerly the birds appear to have been even tamer than at present."

Charles Darwin
"Voyage of the Beagle
1835

"Un día, mientras estaba acostado, un tordo burlón se posó sobre el borde de un jarro hecho del caparazón de una tortuga, que yo tenía en la mano y comenzó tranquilamente a sorber el agua. Esto me permitió levantarlo del suelo mientras estaba sentado en el recipiente. A veces traté y casi pude agarrar estos pájaros de sus patitas. Antes estos pájaros parecen haber sido más pasivos que ahora."

Charles Darwin
"El Viaje del Beagle"
1835

The seedlings of the red mangrove have the ability to float in the ocean, root in the mud, and immediately take hold and grow. In addition, the red mangrove has a root system that filters out salt, allowing the leaves to receive fresh water.

Las semillas del mangle rojizo pueden flotar en el océano, enraízar en el lodo e inmediatamente prenderse y crecer. Además, el mangle rojizo tiene un sistema de raíces que filtra la sal y permite que las hojas reciban agua dulce.

The yellow warbler is one of the prettiest and the only bright yellow bird in the Galápagos. The mate has a beautiful rusty-red cap and red stripes on the breast. The yellow warbler is very common and abundant throughout the Galápagos. It is amazing that one species is adaptable enough to successfully inhabit all these different environments.

Las semillas del mangle rojizo pueden flotar en el océano, enraízar en el lodo e inmediatamente prenderse y crecer. Además, el mangle rojizo tiene un sistema de raíces que filtra la sal y permite que las hojas reciban agua dulce. Las semillas del mangle rojizo pueden flotar en el océano, enraízar en el lodo e inmediatamente prenderse y crecer. Además, el mangle rojizo tiene un sistema de raíces que filtra la sal y permite que las hojas reciban agua dulce.

INDEFATIGABLE ISLAND *(ISLA SANTA CRUZ)*

Santa Cruz supports one of the largest human populations of the five inhabited islands. Some 4,000 residents are distributed between the cattle farming communities in the lush highlands and the coastal town of Puerto Ayora. The headquarters of the Galápagos National Park and Charles Darwin Research Station are situated here and visitors will learn about the current conservation projects in progress, such as the captive tortoise breeding program. Both old and young tortoises can be seen in corrals. A short dinghy ride across Academy Bay will lead to a small beach and lagoon area. Tortuga Bay, has a beautiful long, fine white sand beach. Los Gemelos, two deep pit craters situated in the Scalesia forest are particularly interesting with a lot of bird life to be found, or a hike through the pastureland from the village of Santa Rosa to the Tortoise Reserve may reveal giant tortoises in their natural surroundings. The summit of Santa Cruz, Cerro Crocker at 860 meters, can be attained by hiking up from Bella Vista, a village 20 minutes away by bus from Puerto Ayora. On the north shore of the island, accessible only by sea, there is an extensive mangrove lagoon area called Turtle Cove. Here in the peacefulness of the mangrove environment turtles break the surface of the still waters to breathe, while fish, rays and small sharks cruise below.

Santa Cruz tiene una de las poblaciones humanas más grandes de las cinco islas habitadas. Unas 4,000 personas están distribuídas entre las comunidades ganaderas en las lozanas colinas y en el pueblo costero de Puerto Ayora.Las jefaturas del Parque Nacional G. y el Centro de Investigación Nacional de C.D se encuentran aquí y los visitantes pueden informarse sobre los actuales proyectos de consevación, tales como el programa de cría de la tortuga en captividad. En los corrales se ven ambas, tortugas viejas y jóvenes. Un paseo corto en bote los lleva a una zona pequeña de playa y laguna. La Bahía de la Tortuga tiene una playa larga con arena blanca y fina. Los Gemelos, dos cráteres profundos que se encuentran en el bosque de Scalesia son muy interesantes, con muchas aves. Una caminata por los campos del pueblo de Santa Rosa a la Reserva de la Tortuga, muestra grandes tortugas en su ambiente natural. La cima de Santa Cruz, en el Cerro Crocker a los 860 metros, se la puede trepar escalando desde Bella Vista, un pueblo a 20 minutos en autobus de Puerto Ayora. En la costa norte de la isla, accesible sólo por mar, hay una gran laguna de mangles llamada Ensenada de Tortuga. Aquí en la tranquilidad del ambiente de mangles, las tortugas surgen a la superficie de las aguas calmas para respirar, mientras que los peces, rayas y pequeños tiburones flotan abajo.

In the morning, after disembarking from our panga, our group headed out to the Darwin Research Center and returned to have lunch at the Hotel Galápagos. After lunch, we boarded a bus and headed up to the very lush Highlands for our next adventure. Our driver stopped and some walked down into a very large lava tube. Then we continued to the Tortoise Reserve which coexists with cattle ranches . There, giant tortoises roamed freely and vermillion fly catchers perched on fences. After a full day of exploring, we stopped on our way back for dinner at the Narwhal Restaurant. Sitting on the veranda of this ranch we had drinks , ate grilled chicken and enjoyed the magnificent view.

Our group also had the opportunity to visit the home of Jacqueline de Roy (mother of photographer Tui de Roy who was raised in the islands). The home is accessible by boat, so again we boarded our pangas and away we went. Jacqueline's adult son was also there and charmed us with stories. The de Roy family arrived from Belgium many years ago and settled in the Galápagos Islands. The house was surrounded by beautiful flowering shrubs and so many varieties of finches that I lost count.

sp

Por la mañana después de desembarcar de nuestro panga, nuestro grupo se dirigió al Centro Nacional de Investigación Darwin y regresó para almorzar en el Hotel G. Después del almuerzo, tomamos un autobús y nos dirigimos a las mismas colinas lozanas para nuestra próxima aventura. Nuestro chofer paró y algunos bajaron a un tubo grande de lava y luego continuamos a la Reserva de la Tortuga que coexiste con unos ranchos ganaderos. Estas tortugas gigantes ambulaban libremente mientras que los cazadores de la mosca vermillón estaban sentados en los cercos.

Al regresar de un día entero de exploración, paramos para cenar en el Restaurante Narwhal. En la veranda de este rancho, tuvimos unas copas, comimos pollo asado y disfrutamos de un magnífico panorama.

Nuestro grupo también visitó la casa de Jacqueline de Roy (madre del fotógrafo Tui de Roy que se crió en las islas). A esta casa se llega en bote, así que embarcamos nuestros pangas otra vez y estuvimos en camino. El hijo adulto de Jacqueline también estaba allí, así que nos fascinó con sus relatos. La familia de Roy llegó de Bélgica hace muchos años y se estableció en las islas Galápagos. La casa estaba rodeada de tantas flores hermosas y tantas variedades de pinzones que no pude contarlas.

Robinson Crusoe, whose real name was Alexander Selkirk, came to the Galápagos Islands. He was freed in February 1709 from his lone island—Juan Fernandez, off the coast of Chile— by Captain Woods Rodgers, another pirate. After four years and four months, Robinson Crusoe, who had been master of the ship "Cinque Ports", was taken aboard Woods' ship. Three months later, he was in the Galápagos. Two years later, in 1711, he returned to England where he became famous, thanks to "Robinson Crusoe" by Daniel Defoe.

William Beebe, a renowned biologist and explorer, led a scientific expedition to the archipelago sponsored by the "New York Zoological Society. His book, "Galápagos: World's End" paints a romantic account of this voyage; without sacrificing technical accuracy, Beebe expertly blended popular science and adventure travel. His book quickly became a best seller.

Robinson Crusoe, cuyo nombre verdadero era Alexander Selkirk, vino a las Islas G. El fue liberado en 1709 de su isla solitaria - Juan Fernández, cerca de la costa de Chile - por el Capitán Woods Rodgers, otro pirata. Después de cuatro años y cuatro meses, R.C. que había sido jefe de la nave "Cinque Ports" fue llevado en el barco de Woods. Tres meses más tarde estaba en las G. Dos años más tarde, en 1711, él regresó a Inglaterra donde se hizo famoso, gracias a "Robinson Crusoe" por Daniel Defoe.

William Beebe, un biólogo y explorador bien conocido, dirigió una expedición ciéntifica a este archipiélago, patrocinada por la "Asociación Zoológica de N.Y. " Su libro "G. el final del mundo" romantiza su viaje, sin omitir detalles reales. Beebe ingeniosamente combina ciencia popular y viaje aventurero. Su libro inmediatamente superó en las ventas fue un "bestseller".

Tortoises can survive in dry areas as they are able to conserve water and fat in their internal cavities. The ability first was noticed during their long survival on pirate boats. Nobody knows the maximum age of these land turtles. In the corral of the Darwin Station, the oldest individual may be as much as 170 years old (and would have known Darwin himself).

Las tortugas pueden sobrevivir en zonas áridas, ya que pueden conservar agua y grasa en sus cavidades internas. Se les notó, por primera vez, esta habilidad durante sus largas supervivencias en los barcos piratas. Nadie sabría calcular la edad máxima de estas tortugas terrestres. En el corral del Centro de Darwin, la tortuga más vieja puede tener unos 170 años (y haberlo conocido al mismo Darwin).

Sis is visiting one of the tortoises on the trail. As we were walking along, our guide told us about "Lonesome George", one of the most popular residents of the Galápagos Islands. He was found in 1971 on Pinta Island, the last surviving tortoise on that island. Many attempts were made to breed him at the Darwin Research Center on Santa Cruz but they were not successful. He had no interest in females from islands close to his former home on Pinta Island. However, recent DNA tests have shown that females from islands further away are a closer match to his subspecies and maybe George will have some offspring soon.

Sis está visitando una de las tortugas en el sendero. Mientras caminábamos, nuestro guía nos contó sobre "Jorge el solitario", uno de los habitantes más populares de las islas G. Se lo encontró en 1971 en la Isla Pinta, la última tortuga sobreviviente de esa isla. En el Centro de Investigación Darwin, se trató muchas veces, sin resultado, de acoplarlo pero el no tenía interés en las hembras de las islas cercanas al que fue su hogar, en la Isla Pinta. Pero, unos experimentos de ADN muestran que las hembras de otras islas más lejanas emparejan mejor con esta subespecie y talvez Jorge tenga algunos críos después de todo.

"The vermillion flycatcher is a small insect eating bird generally living in the moist highlands in association with many other land birds.

The male is territorial, performing a distinctive display: flying up in steps peeping and clapping its mandible at each step; then suddenly plunging towards the earth, rising up again before reaching the ground. It repeats this display several times."

Isabel Castro & Antonio Phillips
"The Birds of the Galápagos Islands"
(Los pájaros de las islas Galápagos)

"El cazamoscas vermillón es un pajarito comeinsectos, que generalmente vive en las colinas húmedas en compañía de otras aves terrestres.

El macho es territorial, y hace una exhibición especial: volando en escalas, asomándose y palpitando su mandíbula en cada escala; bajando de repente y elevándose otra vez antes de aterrizar. Repite esta exhibición varias veces."

Galápagos Mocking birds have been so bold as to invite themselves for dinner. This fellow is waiting on a tablecloth for a human handout.

Los tordos burlones de las Galápagos son tan osados que se invitan solos a cenar. Este compañero está esperando sobre un mantel que se le sirva algo.

The blue footed booby occurs everywhere throughout the archipelago. It's high underwater maneuverability enables it to plunge-dive in extremely shallow water. Nesting in large colonies year round, its courtship dance is one of the most elaborate, centered around its dazzling blue feet. Sharing parental duties, a pair may raise up to three chicks, food supply permitting.

Al bobo de patita azul, se lo ve por todo el archipiélago. Sus grandes habilidades submarinas, le permiten zambullirse en aguas muy bajas. Anida todo el año, y su danza de cortejo es muy sofisticada y se concentra en sus deslumbrantes patitas azules. Compartiendo las responsabilidades, una pareja puede criar hasta tres polluelos, si hay provisión de comida.

In all of the Archipelago, there is probably a no more saturated color than the intense bright blue feet of the blue-footed booby. To the delight of tourists, these birds often perform their courtship dances within site of a trail. In fact, these birds are so oblivious to the presence of man that they will occasionally nest right on the trail. The courtship ritual usually begins with the male throwing his head back and pointing his beak upward to attract the female – a display called "sky pointing". They then do a slow, high-stepping dance maneuver where their action looks as if they were pulling their feet up off a sticky surface.

Skypointing is then repeated by both male and female. With their wings cocked behind their heads, the male whistles and the female honks, sticks and twigs are passed and placed in a ceremony that simulates nest building. Since blue-footed boobies do not actually build nests, this ritual must be a legacy of evolutionary history. All aspects of the courtship display are repeated many times, the culmination of which is mating.

Paul Humann—"Galápagos"

En todo el archipiélago, no hay color más saturado que el brillante e intensivo azul del bobo de patita azul. Estos pájaros fascinan a los turistas con su frecuente danza de cortejo que se ve desde los senderos. Ellos están tan inconscientes de la presecia humana que a veces hasta anidan en el sendero mismo. El rito del cortejo comienza por lo general, cuando el macho estira su cabeza hacia atrás apuntándo el pico al cielo para atraer a la hembra - una exhibición llamada "apuntamiento al cielo". Luego proceden con una danza de pasos elevados que da la ilusión de que están despegando los pies de un piso pegajoso.

El apuntamiento al cielo se repite entonces por ambos, el macho y la hembra. Con las alas enderezadas detrás de la cabeza, el macho silba y la hembra bocina y se pasan ramitas en una ceremonia que parece la construcción de un nido. Como los bobos patita azul en realidad no construyen nidos, este rito debe ser un legajo evolucionario. Todos estos aspectos del cortejo se repiten varias veces hasta que culminan en la copulación.

"Pelicans and frigate-birds flew around and around us, and boobies swooped low to quench their curiosity. The rumbling clang of our anchor chain rang out like a desecration, and we came to rest in Conway Bay, the very harbor where the most famous pirates of all time had anchored. I looked around at the island spread out before me, listened in vain for any sound from shore, and let the fact sink deep within me—in my turn I had come to the Galápagos and another dream of my boyhood had become real."

William Beebe— "Galápagos: World's End (*El Final del Mundo)*" 1924

"Los pelícanos y las fragatas volaban a nuestro alrededor, y los bobos descendían bien bajo para satisfacer su curiosidad. El estruendoso rechinar de las cadenas de nuestras anclas sonó como una profanación, y llegamos al descanso en la Bahía Conway; el mismo muelle donde los piratas más famosos de todos los tiempos habían anclado. Miré a mi alrededor a la isla que se extendía ante mí, escuché en vano para algún sonido de la costa, y me dejé convencer - era mi turno y había llegado a las G. y otro de los sueños de mi niñez se había realizado."

"By virtue of its great mass (up to 550 pounds), the giant tortoise is better equipped than most reptiles to keep an even body temperature. Actually, weight is another subspecies variation. The saddle-back tortoises are smaller because they live on drier islands, which naturally have less food available.

While longevity estimates are about 150 years (based on a few historical records), there is at present no precise method of determining the age of older tortoises."

Charles Darwin—"Voyage of the Beagle" "*(Viaje del Beagle)*" 1835

"Gracias a su cuerpo masivo (de hasta 550 libras), la tortuga gigante está mejor equipada que la mayoría de los reptiles para mantener una temperatura pareja en el cuerpo. En realidad, el peso es otra variación de la subespecie. La tortugas ensilladas son más pequeñas porque viven en islas más secas , que naturalmente tiene menor provisión de alimento. Aunque se estima que su longevidad es de unos 150 años (basado en algunos datos históricos), en este momento no hay un método preciso de determinar la edad de las tortugas más viejas."

"I sit me down in the mossy head of some deep-wooded gorge, surrounded by prostrate trunks of blasted pines, and recall, as in a dream, my other and far-distant rovings in the baked heart of the charmed isles, and remember the sudden glimpses of dusky shells, and long languid necks protruded from the leafless thickets; and again have beheld the vitreous inland rocks worn down and grooved into deep ruts by ages and ages of the slow draggings of tortoises in quest of pools of scanty water. Doubtless, so quaintly dolorous a thought was originally inspired by the woebegone landscape itself; but more particularly, perhaps, by the tortoises. For, apart from their strictly physical features, there is something strangely self-condemned in the appearance of these creatures. Lasting sorrow and penal hopelessness are in no animal form so suppliantly expressed as in theirs; while the thought of their wonderful longevity does not fail to enhance the impression.

Herman Melville—The Enchanted Islands (*"Las Encantades"*) 1854

"Yo me siento en la cabeza musgosa de una cañada boscosa, rodeado de troncos secos y esparcidos de pinares, y recuerdo, como en sueño, mis otras vagancias lejanas en el corazón cocido de las fascinantes islas, y recuerdo los vistazos instantáneos de conchas oscuras, y cuellos lánguidos largos asomándose de los bosquecitos sin hojas. Otra vez contemplé las rocas vítreas del interior de la isla, gastadas y agrietadas en surcos por años y años del lento arrastrar de las tortugas en busca de charcos de agua. Sin duda este pensamiento tan doloroso había sido inspirado originalmente por el mismo abrumado paisaje; pero más aún por las tortugas. Ya que fuera de su aspecto físico, hay algo extrañamente auto-condenatorio en la apariencia de estas creaturas. Un dolor permanente y una deseperanza penal no se ven expresadas tan suplicantemente en ninguna otra forma animal como las de ellas. El pensamiento de su longevidad maravillosa no disminuye esta impresión."

The sea lion pups require quite a bit of attention, as they nurse for up to three years, depending on the availability of food. In good times, a pup will be weaned within a year. In the event of a food shortage, however, the pup is fed quite a bit longer, while any new pups are not nursed and basically left to die. This is an extremely sad sight to see, but is necessary for the survival of the colony, since the older pup will generally make it through the tough year.

Los cachorros del león marino requieren bastante atención, ya que maman hasta uno tres años dependiendo de la disponibilidad de alimento. En momentos de abundancia el cachorro se desteta en un año. En caso de escasez, el cachorro mama bastante tiempo, mientras que otros cachorros nuevos no son alimentados y son abandonados a la muerte. Es algo muy triste para ver, pero es necesario para la supervivencia de la colonia, ya que el cachorro mayor sobrevivirá el año duro.

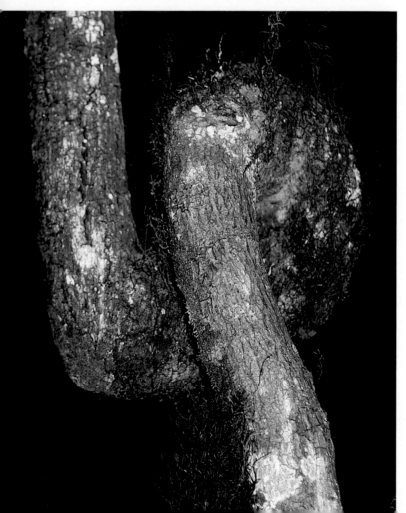

"The most common tree in the Galápagos is the Palo Santo, which thrives in arid regions. It is a relative of frankincense and myrrh and, when burned, produces a fragrant smoke that repels insects. The common name, Palo Santo, means "holy stick". There are two theories for the origin of the name: one from its use as incense in South American churches; the other is from its habit of coming to leaf and flower around Christmas time. In the dry season, its leafless pale gray branches form intriguing line designs against the demonic red volcanic material in the background. The bark's pale gray comes from a covering of crustose lichens which mask its true purplish color."

Paul Humann—"Galápagos"

"El árbol más común de las G. es el Palo Santo, que reboza en tierras áridas. Es un pariente la gomorresina y de la mirra, que cuando se quema produce un humo fragante que repele insectos. Su nombre común Palo Santo quiere decir un palo santificado. Hay dos teorías sobre el origen del nombre: una por el uso como incienso en las iglesias sudamericanas y la otra es por echar follaje y florecer en la Navidad. Durante la temporada seca, sus ramas sin hojas de un gris pálido forman unos diseños lineares intrigantes contra el demoniaco transfondo rojizo de las materias volcánicas. El gris pálido de de la corteza se produce al estar cubierto de liquen crustáceo, lo que oculta su verdadero color morado."

SOUTH PLAZA ISLAND (*ISLA PLAZA SUR*)

"In many places the coast is rock-bound, or, more properly, clinker-bound; tumbled masses of blackish or greenish stuff like the dross of an iron furnace, forming dark clefts and caves here and there, into which a ceaseless sea pours a fury of foam... However calm the sea without, there is no rest for these swells and those rocks; they lash and are lashed, even when the outer ocean is most at peace with itself. On the oppressive clouded days, such as are peculiar to this part of the watery Equator, the dark, vitrified masses, many of which raise themselves among white whirlpools and breakers in detached and perilous places off the shore, present a most Plutonian sight."

Herman Melville– "The Enchanted Islands (*Las Encantadas*)" 1854

"En muchos lugares la costa está cercada de rocas, o mejor dicho cercada de escoria. Estos bultos masivos de algo verdoso y negro como la escoria de un horno de hierro, forman grietas oscuras, y cuevas por todas partes, en las que el mar constante vuelca furioso su espuma...Por más tranquilo que esté el mar por fuera, no hay descanso para estos bultos y rocas; ellos golpean y son golpeados, aún cuando el mar muestra una paz externa. En los días de nubes opresivas, que son raros en esta parte húmeda del Ecuador, masas oscuras y vitrificadas, muchas de las cuales se elevan de entre remolinos blancos y embates de las olas; en lugares peligrosos y remotos de la costa, presentan una vista muy plutónica."

Older bulls that have fought and been defeated in one battle too many live out their later years in exile, often in retirement communities. One such bachelor colony can be seen on the rocky cliffs of South Plaza island. Here, several battle-scarred ex-champs lie around with a sad look in their eyes as they stare down at the shore.

Los toros más viejos, que han tenido demasiadas luchas, viven sus últimos años en exilio, frecuentemente en colonias de jubilados. Se puede ver una de estas colonias de machos en el peñasco rocoso de la Isla Plaza Sur. Los toros más viejos, que han tenido demasiadas luchas, viven sus últimos años en exilio, frecuentemente en colonias de jubilados

The Galápagos fur seal, whose ancestors came from cold southern regions of the world, prefers areas of cool upwelling, and seeks out shady rock overhangs to sleep and give birth. Brought to near extinction by pelt hunters a century ago, this shy species has fully recovered but does not form large colonies.

La foca peluda, cuyos antepasados vinieron de las regiones australes frías, prefiere zonas refrescantes de aguas que brotan. Ella busca cobijarse bajo la sombra de rocas que proyectan para dormir y dar cría. Aunque hace un siglo, estaba casi en extinción, debido a los cazadores de piel, esta especie se ha recuperado por completo pero ya no forma colonias grandes.

TOWER ISLAND *(ISLA GENOVESA)*

Contrary to its name, this island is a low volcano barely breaking the surface of the ocean by some 75 meters. Ships sail directly into its large breached caldera to anchor at the foot of the steep crater walls. It is a veritable outpost, attracting vast numbers of pelagic seabirds who come here to rest. Great frigate birds, red-footed boobies, masked boobies, swallow-tailed gulls and storm petrels all breed here by the thousands.

A trail starts with a steep rocky climb of some 25 meters high, known as Prince Phillip's Steps in commemoration of the royal visit in 1965. On the open ground above are masked and red-footed boobies, and more frigates in the dwarf palo santo trees. At the end of the trail thousands of band-rumped storm petrels flutter over the lava fields and cliff edge where they nest in crevices. Short-eared owls can sometimes be seen here, hunting the storm petrels during daylight hours.

El nombre no lo indica, pero la isla es un volcán que casi se levanta de la superficie del océano por 75 metros. Los barcos navegan directamente en la brecha de la caldera para anclar al pie de las paredes elevadas del cráter. Es un verdadero poste de guardia que atrae un gran número de aves marinas palágicas, que vienen aquí a descansar. Miles de aves fragatas grandes, bobos patitas rojas, bobos enmascarados, gaviotas con colas de golondrina y petrel de tormenta, se procrean aquí.

El sendero comienza con una escalada de roca abrupta de unos 25 metros, conocida como Las escalas del príncipe Felipe, en honor a la visita real en 1965. Arriba en el campo abierto, en los árboles enanos de palo santo hay bobos enmascarados y bobos patitas rojas, y más fragatas. Al final del sendero, miles de petreles de tormenta en bandadas, revolotean sobre los campos de lava y bordes de peñascos, donde anidan en grietas. Se pueden ver, lechuzas de orejas cortas cazando los petreles de tormenta durante la luz del día.

The Masked Booby is a large heavy bird; it favors nesting along cliff edges and steep seaward slopes. Forming small but noisy colonies, they are scattered throughout the islands. A very powerful plunge-diver, this booby can plummet from over 50 meters in pursuit of open water fish, often in conjunction with feeding dolphins.

El bobo enmascarado es un pájaro grande y pesado. Le gusta anidar a lo largo de los bordes de peñascos y declives bruscos hacia el mar. Ellos forman colonias pequeñas pero ruidosas y se encuentran distribuídos por toda la isla. Con una gran fuerza de zambullimiento, este bobo puede penetrar desde unos 50 metros; en busca de peces de agua abierta; a veces a la par de los delfines alimentándose.

Red-footed boobies feed on flying fish far out at sea. They tend to nest on the outer islands of the archipelago. Unlike the other boobies, the red-foot nests in trees, it also has little claws at the end of its webbed feet that are suitable for perching. It also builds real nests which, although nothing more than a fragile looking arrangement of a few twigs, is a marked departure from the other boobies, who nest on the open ground.

While this booby has the highest population of all boobies in the Galápagos, it spends much of its time on the open seas and thus appears to be more scarce than the others. While scattered colonies exist on the outer fringes of the Galápagos, the red-footed booby can best be seen on Tower (Genovesa) Island, where well over 100,000 pairs come to nest. A colony also exists on Punta Pitt, San Cristóbal island.

The distribution of the red-footed booby in the Galápagos Islands seems to be influenced by the distribution of the Galápagos Hawk, its main predator. Red-footed Boobies are present only on islands without Galápagos Hawks.

Los bobos patitas rojas, se alimentan de peces voladores mar adentro. Le gusta anidar en las islas exteriores del archipiélago. No como los otros bobos, éste anida en los árboles. Tiene garras pequeñas al final de sus patitas palmadas que le permiten posarse. También construye nidos, que aunque tengan la fragilidad de unas cuantas ramitas, son una notable diferencia de los nidos contruídos por otros bobos en campo abierto.

Aunque este bobo tiene la población más grande de todos en las Galápagos, pasa mucho tiempo sobre el mar abierto y por eso da la impresión de ser más escaso. Hay colonias esparcidas en los bordes exteriores de las G. alápagos, pero al bobo patitas rojas se lo ve más en la torre de la isla (Genovesa), donde más de 100,000 parejas vienen a anidar. También existe una colonia en Punta Pitt, en la isla de San Cristóbal.

La distribución del bobo patitas rojas en las islas G., parece estar influenciada por la distribución de Halcón Galápagos, su principal rapiñador. El bobo patitas rojas vive solamente en las islas donde no hay halcones Galápagos.

BARTOLOMEW ISLAND (ISLA BARTÓLOME)

Bartólome is situated just off the coast of James Island opposite the Sullivan Bay lava flows. It is dominated by recent volcanic formations. A walk to the summit of this small island, 114 meters high, reveals a veritable moonscape of reddish spatter cones, beige tuff cones, golden beaches and blue-black lava flows. At the center of this breaktaking view is the tall, leaning spike known as Pinnacle Rock, resulting from the eroded remains of an old tuff cone. Few plants inhabit this island: the low growing Tiquilia and Chamaesyce in the cinder areas, the hardy Brachycereus cactus on the bare lava, and mangrove thickets near the beaches where sea turtles are sometimes seen. At the foot of Pinnacle Rock is a lovely beach where swimmers may see colorful fish. A tiny colony of Galápagos penguins also live at the very base of the Rock.

Bartolomé se encuentra cerca de la isla Jaime, al frente de los flujos de lava de la bahía de Sullivan. Está cubierta de formaciones volcánicas recientes. Una caminata a la cima de esta isla pequeña, de 114 metros de altura, muestra un verdadero paisaje lunar salpicado de conos rojizos, conos de tufo color beige, playas doradas y flujos de lava de azul negrizo. En el medio de este panorama maravilloso, se encuentra el espigón alto y reclinante, llamado la Roca del Pináculo, que se formó de los restos erosionados de un cono de tufo viejo. Hay pocas plantas en esta isla: la Tiquilia que crece bajo, y la Chamaesyce en las áreas carbonadas, el fuerte cacto braquícero, en la lava misma, y los bosquecitos de mangles, cerca de las playas donde a veces se ven las tortugas. Al pie de la Roca del Pináculo hay una playa bonita donde los nadadores pueden ver peces muy coloridos. Una pequeña colonia de pingüinos G. vive en la base de esta roca.

Before breakfast, we loaded into the pangas and were warned that this would be a difficult landing . We slowly disembarked onto slippery rocks and cautiously walked around a new born seal and headed towards the steep wooden stairway called "Heart-breaker" to climb to a magnificent viewpoint at the 359 foot summit of Bartholome. This is probably the most scenic photographic vantage point in all of the islands. Pinnacle Rock may well be the "sail" that Melville talks about when he says "Sail Ho"! The rock, the inlet with the perfect crescent beach are spectacular.

Antes del desayuno, subimos en los pangas y se nos advirtió que el aterrizaje sería dificultoso. Lentamente desembarcamos sobre rocas resbaladizas y caminamos con cuidado alrededor de una foca recién nacida y nos dirigimos hacia una escalera de madera muy escarpada llamada "Rompe-corazón" para subir a un mirador a 359 pies de la cima del Bartolomé. Este es probablemente, el punto fotográfico óptimo de las islas. La Roca del Pináculo puede ser el "sail" al que se refiere Melville cuando dice "Sail Ho". La roca y la entrada con la perfecta playa cresciente son espectaculares.

"Take five-and-twenty heaps of cinders dumped here and there in an outside city lot, imagine some of them magnified into mountains, and the vacant lot the sea, and you will have a fit idea of the general aspect of the Encantadas, or Enchanted Isles. A group rather of extinct volcanoes than of isles, looking much as the world at large might after a penal conflagration."

Herman Melville —
'The Enchanted Islands" 1854

"*Si se toma de 5 a 20 montoncitos de cenizas esparcidos aquí y allá, en un lote baldío fuera de la ciudad; si se imagina a algunos de ellos magnificados al tamaño de montañas, y al lote baldío el mar, se tendrá una idea del aspecto general de las Islas Encantadas. Un grupo más bien de volcanes extinguidos que de islas, como el mundo en general después de una conflagración penal*"

Herman Melville—
"Las Encantadas" 1854

"Lava cactus, also endemic, is one of the first plants to inhabit new lava flows. It is an attractive little cactus that grows in clumps of small, unbranched dome-topped cylinders. New growth is yellow in color which, with age, turns orange and then dark grayish-green."

Paul Humann – "Galápagos"

"El cacto lava, también endémico, es una de las primeras plantas que habitan los nuevos flujos de lava. Es un pequeño y atractivo cacto que crece en grupos de pequeños cilindros cupulíferos. El nuevo crecimiento es amarillo y con el tiempo se vuelve anaranjado y luego de un color gris verdoso."

The Galapagos penguin is the only penguin found outside of southern latitudes. It eludes the tropical heat by nesting in deep lava caves and prefers the cooler waters of the western islands, although a small colony does occur at the base of the Bartolomé Pinnacle. It is a high speed swimmer and feeds on small schools of fish.

El pingüino Galápagos es el único pingûino que se encuentra fuera de las latitudes meridionales. Anida en cuevas de lava profundas, para evitar el calor tropical, y prefiere las aguas más frescas de las islas occidentales; aunque hay una pequeña colonia de ellos a la base del Pico Bartolomé. Es un nadador de alta velocidad y se alimenta de escuelas de peces pequeños.

"Penguins are a family of flightless seabirds associated with cold Antarctic waters. Thus, the Galápagos species seems completely out of place – in fact, it is the only species to nest entirely within the tropics and to be found north of the Equator. These cute little fellows, in their headwaiter dress, are the third smallest species in the world. Their closest relatives are the Humboldt and Magellan penguins which live thousands of miles to the south near the tip of South America."

"Los pingüinos son una familia de aves marinas sin vuelo, oriundas de las frías aguas antárticas. Por eso la especie de los G. parece estar completamente fuera de lugar. Es la única especie que anida completamente entre los trópicos y que se encuentra al norte del Ecuador. Estos animalitos simpáticos, con su trajecito de mozo, son la tercera especie más pequeña del mundo. Sus parientes más cercanos son los pingüinos Humboldt y Magallanes, a miles de millas al sur cerca de la punta de Sudamérica."

Paul Humann – "Galápagos"

SOMBRERO CHINO *(CHINESE HAT)*

Sombrero Chino is located off the southeast tip of James (Santiago) Island and is separated by a turquoise-blue lagoon, which is ideal for snorkeling. The island is made up of very old, pahoehoe lava flows which are very fragile. As you can see from the photo below, it was named after it's shape. Due to the fragile nature of the lava fields only small boats with 16 or less passengers are permitted to land here and you are cautioned to stay on the trail.

El Sombrero Chino se encuentra en la punta meridional de la Isla Santiago y está separado por una laguna de color turquesa azul, que es ideal para hacer snorkeling. La isla está formada de flujos de lava "pahoehoe" muy frágiles. Como se ve en la foto de abajo, este lugar obtuvo el nombre por su forma. Debido a la fragilidad de los campos de lava, sólo se permiten desembarcar a botes de 16 pasajeros o menos, y a éstos se les advierte que permanezcan en los senderos.

Viewing the Galápagos Islands has been an awe inspiring moment in my life. No other place in the world have we had such close encounters as we did with the wild life and islands. In addition it was a wonderful learning experience – the islands, the history of the species and the continuing evolutionary processes.

But this paradise is not only for visitors but for the scientists who have been attracted to this unique place. The undiscovered species and communities, ongoing adaptation and evolutionary processes of some species make this a very fascinating place.

Al ver las islas G. he tenido un momento de profundo recogimiento en mi vida. En ninguna otra parte del mundo habíamos tenido tal acercamiento a la vida silvestre y a las islas. Además, ha sido una experiencia de aprendizaje única - las islas, las historia de las especies y el proceso continuo de evolución.

Pero este paraíso no es sólo para visitantes sinó que también para los científicos atraídos por este lugar único. La especies y las comunidades sin descubrir y los continuos procesos de adaptación y de evolución de algunas especies hace de este un lugar cogedor.

The coast of Sombrero Chino is uplifted and is the reason for the presence of black lava, broken up shells and stony coral.

Macarena Green

La costa del Sombrero Chino es levantada y por eso hay lava negra, conchas quebradas y coral pedregoso.

This lava lieard has almost perfect camoflage in this area of Sombrero Chino Island.

Este lagartos de lava tiene casi camuflaje perfecto en este Zona de Sombrero Chino.

"Nothing could be less inviting than the first appearance. A broken field of black basaltic lava, thrown into the most rugged waves, and crossed by great fissures."

"Nada puede ser menos acogedor que la primera impresión. Un campo quebrado de lava negra basáltica, ondas muy abruptas atravesado por grandes grietas."

Charles Darwin —"Voyage of the Beagle (*Viaje del Beagle*)"

"In many places the coast is rock-bound, or, more properly, clinker-bound; tumbled masses of blackish or greenish stuff like the dross of an iron furnace, forming dark clefts and caves here and there, into which a ceaseless sea pours a fury of foam."

"En muchos lugares la costa está bordeada de rocas, lindadas de escoria. Estas son masas de un color negro verdoso, como la herrumbre de una estufa de hierro, que forman grietas oscuras y cuevas por todas partes, y donde el incensante mar vuelca una furia de espuma."

Herman Melville—"The Enchanted Islands (*Las Encantadas*)" 1854

I was amazed at how close our ship came to the edge of this volcano formation. Not more than 10 or 15 feet! That is the advantage of traveling the islands on a small ship.

This islet must have dropped off very quickly on the ocean side, like a steep mountain underwater. Note the flamingoes on the far right side shore of the crater lagoon. The horizontal photo was taken with a 24 mm lens, obviously not wide enough to take in the whole islet.

Me quedé pasmado al ver lo cercano que llegó nuestro barco al borde de esta formación volcánica. ¡A no más de 10 a 15 pies! Es lo bueno de viajar por estas islas con un barco pequeño.

Esta isleta debe haber caído muy rápidamente del lado oceánico, como una montaña abrupta bajo el agua. Miren los flamenco en la costa derecha lejana de la laguna del cráter. La foto horizontal fue tomada con un lente de 24 mm., como ven, no lo suficientemente ancho como para tomar toda la islota.

The Bainbridge Rocks are a number of islets formed from tuff cones by explosive eruptions of ash which sedimented in layers called tuff stone strata. In one of them there is a salt water lagoon in the crater where flamingos feed.

Macarena Green

Las Rocas de Bainbridge son unas cuantas islotas formadas de conos de tufo por erupciones explosivas de ceniza que se depositó en capas llamadas estratos de piedras de tufo. En una de ellos hay una laguna de agua salada donde se alimentan los flamencos.

"Hosts of Sally Lightfoots (tidal crabs) were the most brilliant spots of colour above the water in the islands, putting to shame the dull, drab hues of the terrestrial organisms and, hinting at the glories of colourful animal life beneath the surface of the sea."

William Beebe—
"Galápagos: Worlds End
(El final del Mundo)" 1924

"Las manchas de color más brillantes sobre las aguas de las islas eran Albergues de Sally pies ligeros (cangrejos de mareas) que se imponían a los tonos . opacos y pardos de los organismos terrestres, sugiriendo una gloriosa y colorida vida animal bajo la superficie del mar."

Some of our group hiked down a trail, a few went swimming and Sis was absorbed into taking photos of these tiny sandcrabs (about 1/2 inch long). It is quite complex for it's size and maybe has "evolved" since Darwin's visit here.

Algunos del grupo bajaron por el sendero, otros se fueron a nadar y Sis quedó absorta tomando fotos de estos cangrejitos de arena (de 1/2 pulgada). Son bastante complejos para su tamaño, y pueden haber evolucionado desde la visita de Darwin.

MOSQUERA ISLAND *(ISLA MOSQUERA)*

Mosquera is an islet between Baltra and N. Seymour Islands (see the map). It is basically a long, narrow beach with a large population of sea lions. It is flat and appears not to be related to other volcanically-formed islands but, actually, this area has been geologically uplifted as have several of the other islands of the Galápagos. An uplift is a land mass formed by lava flowing through a subsurface geological fissure (known as a fault), gradually lifting the mass through and above the ocean surface . The Galápagos uplifted islands have been over a million years in the making; in many locations marine fossils are found.

Mosquera es una islota que se encuentra entre Baltra y las islas Seymour del Norte (ver el mapa). Básicamente, es una isla larga y angosta con una población grande de leones marinos. Es chata y parece no estar relacionada a las otras islas fomadas volcánicamente. En realidad, esta área ha sido levantada geológicamente como lo fueron otras islas de las G. Un levantamiento es una masa de tierra formado por lava que fluye en grietas geológicas por la subsuperficie (conocido como falla), que gradualmente levanta la masa sobre y a través de la superficie oceánica. Las islas levantadas de las G. han estado en proceso por millones de años y en muchas partes se encuentran fósiles marinos.

Of terrestrial mammals, there is only one which must be considered as indigenous, namely, a mouse. It belongs to a division of the family of mice characteristic of America.

De los mamíferos terrestres, sólo hay uno que se puede considerar oriundo, el ratón. Este pertenece a una división de la familia de ratones característica de América.

Two qualities stood out in the flora, the predominance of spiny and thorny plants and all those with thick, fleshy leaves or stems. All the coast lands were semi-arid, rain falling only during two or three months, and then but sparingly. So it was easy to account for the plants which hoarded water within their tissues, not for a rainy, but for a rainless day, such as the cactus, *Opuntia* and *Cereus*. But the thorny plants, although most of them had been here so long that they were peculiar to the Galápagos, yet had not lost their guardian coat of spines."

William Beebe
"Galápagos: World's End (El final del Mundo) 1924

"Hay dos cualidades sobresalientes en la flora, la predominancia de las plantas espinosas y de todas aquéllas con hojas o tallos gruesos y carnosos. Las tierras costeñas eran semi-áridas con lluvia escasas sólo durante unos dos o tres meses. Así que era fácil notar las plantas que almacenaban agua en sus tejidos, no para "un día lluvioso" sinó para uno sin lluvia; como el cacto Opuntia y el Cereus.
Pero las plantas espinosas, aunque la mayoría había estado aquí por tanto tiempo que eran peculiares a las Galápagos, aún no habían perdido su protectora capa de espinas."

"On most of the isles where vegetation is found at all, it is more ungrateful than the blankness of Aracama. Tangled thickets of wiry bushes, without fruit and without a name springing up among deep fissures of calcimined rock and treacherously masking them, or a parched growth of distorted cactus trees."

"En la mayoría de las islas donde se encuentra vegetación, ésta es menos atractiva que el desierto de Aracama. Hay bosquecitos de débiles arbustos enredados, sin fruta y sin nombre, brotando de profundas grietas rocosas lechadas; tapándolas engañosamente. O sinó, hay crecimientos desecados de distorsionados árboles de cacto."

Herman Melville—"The Enchanted Islands *(Las Encantadas)"* 1854

At several locations, well offshore from any major island, are great rock formations that spring upward hundreds of feet from the water's surface. The sky around each is filled with circling, screeching seabirds looking for prey attracted to this protective oasis in the open sea. Four-hundred-eighty-six foot high Kicker Rock splits in two as it plummets to the depths of the sea. The opening is just wide enough for a sailboat to make a dramatic passage through the cracks length.

En varios lugares, fuera de la costa de las islas mayores, hay grandes formaciones rocosas que brotan hacia arriba centenares de pies sobre la superficie del agua. El cielo a su alrededor, está lleno de aves marinas, atraídas a este oasis en mar abierto, chillando en círculos en busca de presas. La Roca Pateadora, de 486 pies, se divide en dos al sumergirse en la profundidad del mar. La apertura es lo suficientemente ancha como para permitir el dramático cruce de un velero a lo largo de la grieta.

"Seeing every height crowned with its crater,
and the boundaries of most of the lava streams still distinct,
We are led to believe that within a period, geologically recent,
The unbroken ocean was here spread out.
Hence, both in space and time,
we seem to be brought somewhat near to that great fact,
That mystery of mysteries – the first appearance of new beings on this earth."

Charles Darwin, 1839

"It is the fate of most voyagers,
no sooner to discover what is most interesting in any locality
than they are hurried from it. . . ."

*"Al ver cada altura coronada por un cráter,
y los límites de los zurcos de lava aún bien marcados,
Podemos pensar que en un período, geológicamente reciente,
El océano estaba extendido sin interrupción.
Así, en tiempo y en espacio,
parecemos acercarnos al gran acontecimiento,
El misterio de todos los misterios - la primera aparición de nuevos entes en esta tierra."*

Charles Darwin, 1845

*"Es el destino del viajero,
partir de un lugar tan pronto
descubre lo más interesante de él..."*

EPILOGUE

As you have just read, Darwin quotes have been used quite frequently throughout this book and in almost every other book about the Galápagos Islands. It is quite obvious that Darwin's trip to the Galápagos Islands aboard HMS Beagle in 1835 and his book about the trip (Voyage of the Beagle) has had great influence on the present status of these islands. Although there is some farming and fishing, the primary source of income is from tourism.

The majority of the tourists are from the United States and they are primarily interested in photography, natural history and/or exotic adventure travel locations. Although Darwin's visit in 1835 was before photography was invented, he and Herman Melville's vivid descriptions of the unique wildlife, the unusual flora and the active volcanoes, create an ideal environment for many outdoor nature photographers today.

But, Darwin was also a scientist and theorist. His controversial "Theory of Evolution" has had a great deal of influence on the present status of these islands and on outdoor nature photographers. Particularly on the photographers because of the uniqueness of the wildlife species and their total lack of fear of man. In Darwin's remarks that follow, other aspects of this man are worthwhile reading about. For greater detail, several of his publications are listed in the bibliography and are available at most public libraries. Considering Darwin's great influence on the Galápagos and his present standing in the scientific community, it is only fitting that we use some of his remarks in this epilogue.

"The voyage of the Beagle has been by far the most important event in my life and has determined my whole career. I have always felt that I owe to the voyage the first real training or education of my mind. I was led to attend closely to several branches of natural history, and thus my powers of observations were improved, though they were already fairly developed.

The above various special studies were, however, of no importance compared with the habit of energetic industry and of concentrated attention to whatever I was engaged in, which I then acquired. Everything about which I thought or read was made to bear directly on what I had seen and was likely to see; and this habit of mind was continued during the five years of the voyage. I feel sure that it was this training which has enabled me to do whatever I have done in science.

Looking backwards, I can now perceive how my love for science gradually preponderated over every other taste. During the first two years my old passion for shooting survived in nearly full force, and I shot myself all the birds and animals for my collection; but gradually I gave up my gun more and more, and finally altogether to my servant, as shooting interfered with my work, more especially with making out the geological structure of a country. I discovered, though unconsciously and insensibly, that the pleasure of observing and reasons was a much higher one that of skill and sport. . . .

As far as I can judge of myself I worked to the utmost during the voyage from the mere pleasure of investigation, and from my strong desire to add a few facts to the great mass of facts in natural science. I was also ambitious to take a fair place among scientific men,—whether more ambitious or less so than most of my fellow-workers I can form no opinion.

From my early youth I have had the strongest desire to understand or explain whatever I observed,—that is, to group all facts under some general laws. These causes combined have given me the patience to reflect or ponder for any number of years over any unexplained problem. As far as I can judge, I am not apt to follow blindly the lead of other men. I have steadily endeavored to keep my mind free, so as to give up any hypothesis, however much beloved (and I cannot resist forming one on every subject), as soon as facts are shown to be opposed to it. Indeed I have had no choice but to act in this manner, for with the exception of the Coral Reefs, I cannot remember a single first-formed hypothesis which had not after a time to be given up or greatly modified. This has naturally led me to distrust greatly deductive reasoning in the mixed sciences. On the other hand, I am not very skeptical,—a frame of mind which I believe to be injurious to the progress of science; a good deal of skepticism in a scientific man is advisable to avoid much loss of time; for I have met with not a few men, who I feel sure have often thus been deterred from experiment or observations, which would have proved directly or indirectly serviceable."

Charles Darwin, 1876

EPILOGO

Como ha leído, se ha citado a D. con frecuencia en este libro y en casi todos los demás sobre las islas G. Es obvio que el viaje de D. a las islas G. sobre el HMS Beagle en 1835 y su libro sobre el viaje (El viaje del B.) han tenido una gran influencia en el estado presente de estas islas. Aunque hay algo de cultivo y pesca, el ingreso principal proviene del turismo.

La mayoría de los turistas son de los E.E.U.U. y están interesados principalmente en la fotografía, en la historia natural y/o en viajes a lugares con aventuras exóticas. Aunque la visita de D. en 1835 fue antes de la invención de la fotografía, su descripción viva y la de H. M, de la vida silvestre y la flora únicas, y de los volcanes activos, crean un ambiente ideal para los fotógrafos de naturaleza exterior hoy en día.

Pero Darwin también era un científico y un teórico. Su controversial "Teoría de la evolución" ha tenido una gran influencia en el estado presente de estas islas y en los fotógrafos de naturaleza exterior. Especialmente, en los fotógrafos debido a la singularidad de las especies silvestres y su falta de temor del ser humano. En los comentarios siguientes de Darwin, vale la pena leer otros aspectos de este hombre. Para más detalle, varias de sus publicaciones se mencionan en la bibliografía y éstas se pueden encontrar en las bibliotecas públicas. Al considerar la gran influencia de Darwin en las Galápagos y su posición actual en la comunidad científica, es justo que usemos algunos de sus comentarios en este epílogo.

"El viaje del Beagle ha sido sin duda el hecho más importante de mi vida y ha determinado toda mi carrera. Siempre he sentido que le debo al viaje mi verdadero primer entrenamiento o educación mental. Me han llevado a asistir detalladamente a varias ramas de historia natural, mejorando mi capacidad de observación aunque ya haya estado bastante desarrollada.

Sin embargo, los estudios especiales mencionados arriba, no tenían importancia en comparación a la costumbre de industria enérgica y atención concentrada, en lo que pudiese estar involucrado, que allí he adquirido. Todo lo que yo había pensado o leído, tendría repercusión en lo que yo había visto o probablemente estaría por ver; y esta costumbre mental iba a durar los cinco años del viaje. Estoy seguro que fue esta preparación la que me capacitó a hacer lo que haya hecho en ciencia.

Reflexionando hacia atrás, ahora puedo concebir como mi pasión por la ciencia, gradualmente preponderó sobre todo otro gusto. Durante los primeros dos años, mi vieja pasión por la caza sobrevivió con gran fuerza, y yo me cacé todos los pájaros y animales para mi colección. Pero poco a poco empecé a dejar el rifle y finalmente se lo pasé por completo a mi sirviente, ya que la caza interfería con mi trabajo, especialmente con la comprensión de la estructura geológica del país. Yo descubrí, aunque inconsciente e insensiblemente, que el placer de observar y razonar era superior a la artesanía del deporte...

En lo que me pueda analizar, yo he trabajado más duro durante el viaje por el sólo placer de la investigación, y por el gran deseo de agregar algunos hechos a los muchos existentes en la ciencia natural. También tenía la ambición de ocupar mi lugar entre los científicos,- si tenía tanta o menos ambición que mis colegas, no puedo opinar.

Desde mi temprana juventud, tenía un gran deseo de comprender y explicar lo que observaba, - o sea agrupar toda la información bajo algunas leyes generales. Estas causas en combinación, me han dado la paciencia de reflexionar y ponderar por muchos años, si era necesario, sobre todo problema inexplicado. Yo no creo que pueda seguir ciegamente el liderazgo de otros. He tratado constantemente de mantener mi mente libre, para desprenderme de toda hipótesis, por más apreciada que sea (y yo no puedo resistir el impulso de formular una para cada tema), tan pronto como se me presenten datos que la opongan. En realidad no me queda más que reaccionar de este modo, ya que a excepción de los Arrecifes Coralinos, no recuerdo ninguna hipótesis de primera mano que ho haya sido abandonada o modificada después un tiempo. Esto me ha llevado a desconfiar del razonamiento deductivo en las ciencias mixtas. Por otra parte, no soy muy escéptico, - un estado mental que puede resultar pernicioso al progreso de la ciencia. El escepticismo es útil en el hombre de ciencia para evitar la pérdida del tiempo. Yo he conocido algunos hombres, que en mi opinión, así se desviaron de la experimentación y la observación, que les hubiera sido directa o indirectamente útil."

Charles Darwin 1876

EPILOGUE

"It has been said, that the love of the chase is an inherent delight in man—a relic of an instinctive passion. If so, I am sure the pleasure of living in the open air, with the sky for a roof and the ground for a table, is part of the same feeling; it is the savage returning to his wild and native habits. I always look back to our boat cruises, and my land journeys, when through unfrequented countries, with an extreme delight, which no scenes of civilization could have created, I do not doubt that every traveler must remember the glowing sense of happiness which he experienced, when he first breathed in a foreign clime, where the civilized man had seldom or never trod.

There are several other sources of enjoyment in a long voyage, which are of a more reasonable nature. The map of the world ceases to be a blank; it becomes a picture full of the most varied and animated figures. Each part assumes its proper dimensions: continents are not looked at in the light of islands, or islands considered as mere specks, which are, in truth, larger than many kingdoms of Europe. Africa, or North and South America, are well-sounding names, and easily pronounced; but it is not until having sailed for weeks along small portions of their shores, that one is thoroughly convinced what vast spaces on our immense world these names imply.

In conclusion, it appears to me that nothing can be more improving to a young naturalist, than a journey in distant countries. It both sharpens, and partly allays that want and craving, which, as Sir J. Herschel remarks, a man experiences although every corporeal sense be fully satisfied. The excitement from the novelty of objects and the chance of success, stimulate him to increased activity. Moreover, as a number of isolated facts soon become uninteresting, the habit of comparison leads to generalization. On the other hand, as the traveler stays but a short time in each place, his descriptions must generally consist of mere sketches, instead of detailed observations. Hence arises, as I have found to my cost, a constant tendency to fill up the wide gaps of knowledge, by inaccurate and superficial hypotheses.

But I have too deeply enjoyed the voyage, not to recommend any naturalist, although he must not expect to be so fortunate in his companions as I have been, to take all chances, and to start, on travels by land if possible, if otherwise, on a long voyage. He may feel assured, he will meet with no difficulties or dangers, excepting in rare cases, nearly so bad as he beforehand anticipates. In a moral point of view, the effect ought to be, to teach him good-humored patience, freedom from selfishness, the habit of acting for himself, and of making the best of every occurrence. In short, he ought to partake of the characteristic qualities of most sailors. Traveling ought also *to teach him distrust;* but at the same time he will discover, how many truly kind-hearted people there are, with whom he never before had, or ever again will have any further communication, who yet are ready to offer him the most disinterested assistance.

If I was asked to give advice to someone about to undertake a long journey, my answer would totally depend on that traveler's liking for one science or another and on the advantages that he found for his own studies. Doubtless, one experiences great satisfaction in contemplating such diverse lands, and to review, so to speak, the variety of human races, but this satisfaction far from compensates for all the hardship one is likely to endure. Therefore, one must have an aim, and this aim should be a study to complete, a truth to unveil. In short this aim must support you and encourage you.

If life is but a dream, as poets say, I am sure that the visions of a journey are among those which would best help get one through a long night. Over the last 60 years, long journeys have become much easier. In the time of Cook, a man would leave his home to undertake such expeditions, and expose himself to the hardest privations. Nowadays, one can go around the world in a yacht in the greatest of comfort. If one is subject to seasickness, one should think twice before undertaking a long voyage. This is not an ailment which you can be rid of in a matter of days. I speak from experience."

Charles Darwin, Voyage of a Naturalist (1859)

EPILOGO

"Dicen que la pasión por la "caza" es un placer inherente en el hombre - una reliquia de una pasión instintiva. Si es así, estoy seguro que el placer de vivir al aire libre, con el cielo por techo y el suelo por mesa, es parte del mismo sentimiento. Es lo salvaje que regresa a sus costumbres nativas y silvestres. Siempre recuerdo nuestros paseos en barco, y mis viajes por tierra, en países infrecuentados, con un placer extremo, el cual no podría ser creado por escenas de civilización. Yo no dudo que cada viajero se debe recordar la sensación de felicidad, al respirar por primera vez un clima extranjero, donde el hombre civilizado rara vez o nunca pisó.

Hay muchos otros tipos de placer en un viaje largo, que son más razonables. El mapa del mundo deja de ser blanco. Se convierte en un cuadro lleno de figuras variadas y animadas. Cada parte toma sus dimensiones apropiadas: los continentes no se ven como islas, o las islas como puntitos, que en realidad son más grandes que algunos reinados europeos. Africa y Norte o Sudamérica son nombres que suenan bien y son fáciles de pronunciar; pero recién al haber navegado en porciones pequeñas de sus costas, se convence uno de los enormes espacios en nuestro inmenso mundo que estos nombres representan.

En conclusión, me parece que no hay nada más provechoso para un joven naturalista, que un viaje en países distantes. Hace ambos, sutiliza y alivia esas ganas, que, como dice Sir J. Herschel, el hombre siente aunque todos sus sentidos corporales estén saciados. La excitación por la novedad de los objetos y la posibilidad de éxito, lo estimulan a aumentar su actividad. Además, como un número de hechos aislados pierden su interés, el hábito de la comparación lleva a la generalización. Por otra parte, mientras el viajero permanece poco tiempo en cada lugar, sus descripciones deben consistir en borrones en vez observaciones detalladas. Tal es que, surge, como yo lo he comprobado a costo mío, una tendencia de llenar los grandes vacíos de conocimiento con hipotesis superficiales e incorrectas.

Pero yo he disfrutado demasiado profundamente del viaje, como para no recomendárselo al naturalista. Aunque éste no debe esperar la suerte de tener los compañeros que yo he tenido, que tome todos los riesgos y que comience con viajes terrestres, si es posible, si está en un viaje largo. Puede asegurarse, que no encontrará ni tanta dificultad ni tanto peligro, excepto en casos raros, como los que hubiera anticipado. Desde el punto de vista de la moral, el resultado deberá ser, tener paciencia con buen sentido de humor, liberarse del egoísmo, actuar por sí mismo y ver algo positivo en cada situación.

En breve, él deberá compartir las características de todo marinero. El viajar también le enseñará discreción aunque al mismo tiempo él descubra cuántas personas de buen corazón hay, con quienes nunca antes tuvo, ni nunca después tendrá comunicación, pero quienes están dispuestos a ofrecerle la ayuda más desinteresada.

Si se me pidiera consejo para alguien a punto de emprender un viaje largo, éste dependería del viajante si era alguien quien prefería una ciencia más que otra y de las ventajas que él encontraría para sus propios estudios. No hay duda que uno siente una gran satisfacción al contemplar tierras tan diversas, y al repasar, como diría, la variedad de razas humanas, pero esta satisfacción no compensa por las dificultades que uno debe soportar. Por lo tanto uno debe tener una meta, y ésta debe ser unos estudios para completar, una verdad para descubrir. En breve, esta meta debe mantenerlo y animarlo.

Si la vida es un sueño, como dice el poeta, estoy seguro que las visiones de un viaje ayudan de lo mejor a pasar una noche larga. En los últimos 60 años, los viajes largos se han hecho más fáciles. En los tiempos de Cook, un hombre dejaba su hogar para tomar tales expediciones y se exponía a las más crueles privaciones. Hoy en día se puede viajar alrededor del mundo en yate de gran comodidad. Si uno se marea fácilmente, debería pensarlo bien antes de tomar un viaje largo. Esta no es una enfermedad de la cual uno puede deshacerse en unos días. Lo digo por experiencia."

Charles Darwin, Viaje de un Naturalista (1859)

ABOUT THE PHOTOGRAPHY

All of the photos in this book were taken by the author or his wife, Sis. Our trip to the Galápagos in October 1998 was arranged by Galápagos Travel. Although not exclusively a photography trip, all of the participants were taking photos, some with very simple "point and shoot" cameras. Some of the photographic restrictions , placed on us as a group, made it very difficult to take really good shots. These included the following:

- No tripods—they are slow to set up and may block the trail.

- No going off the trail for a better composition or better light.

- No flash—this may upset the bird or animal

It is possible to have more freedom of movement if you go by yourself with your own guide. The expenses will, of course, be much higher. My partial solution to these restrictions was to use my modified shoulder stock (in a kneeling or sitting position), two camera bodies with different lenses and several film speeds. These are as follows:

- Canon EOS-IN camera mounted on a custom modified shoulder stock with a Canon EF 35-350 Lens & Canon 1.4x Extender (yielding 49mm to 490 mm.

- Canon EOS 10S camera with a Canon EF 24-85 Lens.

- Films: Kodachrome 200 (sometimes pushed to 400) and Kodachrome 64, Fujichrome Velvia 50 and Provia 100.

The modified shoulder stock that I used was almost as steady as a tripod if you knew how best to use it. My modification on a Leonard Lee Rue shoulder stock was to install a Canon electronic shutter release on the front grip and to add a small plastic tip to the release button. This allowed me to either sit, kneel or lean up against a lava rock for a relatively steady position and very gently squeeze the shutter release with absolutely no movement of the camera itself. Of course, in the Galápagos you had to look carefully where you sat or what you leaned against.

Also, the film speed used and the auto exposure feature of most modern cameras had to be carefully selected for the light conditions and the size and movement of your subject.

I have found a film "leader retriever" to be essential to allow you to change film in the middle of a roll. Why would you want to do this, you ask? Well, say you were shooting scenics and wanted to use the known better color quality of 50 or 64 speed films, but, in the middle of a roll, some magnificent birds come by and seemed to want to hang around just waiting to have their picture taken. Quickly, you can rewind and remove the film cartridge you are using (mark the frame number on tape on the outside of the canister). Then you can slip in a roll of 200 or 400 speed film and shoot away at these flying birds. When you want to complete using this roll of film, again, leaving the lens cap on, set the camera at manual exposure setting and set the shutter speed at 1/125 second, and then advance the film until the frame number after the one you rewound from. This may seem like a chore, but once you have done it once or twice, it is very quick and easy.   Of course, another solution which could be expensive, is to carry a second camera body.

This shoulder stock also allowed me to easily track birds in flight without the problems of a tripod. For this type of shooting set your camera auto exposure to the narrowest spot metering possible, center your subject in the framed and use 400 speed film or K-200 pushed to 400.

The only shots I feel I missed because of equipment limitations was the miles wide crater on Isabella Island and close-up of the whole islet of Bainbridge Rock. The widest lens I had was a 24mm and that captured only about ½ of the crater (see page 23). I used only two filters at various times. A UV to cut haze and enhance some colors and a circular polarizer to darken the sky and cut glare and reflection.

My advice to photographers visiting the Galápagos is to try to go with a small group that are all serious photographers or alone with a local guide. Take P-L-E-N-T-Y of film and wear good sturdy ankle supporting hiking boots. Some of the trails are fairly easy sand and brush, but some are the roughest, broken up sharp lava rock I have ever seen. Several people in our group either fell and/or got bruises and sprained ankles.

FOTOGRAFÍA

Todas las fotos de este libro han sido tomadas por el autor y su esposa, Sis. Nuestro viaje a las Galápagos. en octubre de 1998 fue preparado por Galápagos. Travel. Aunque éste no fue un viaje fotográfico, todos los participantes estaban tomando fotos, algunos con cámaras simples de "apuntar y tomar". Algunas de las restricciones fotográficas, impuestas en nosotros como grupo, hizo difícil sacar muy buenas tomas. Estas incluyen lo siguiente:

- No tripodes—llevan tiempo para armarlo y pueden bloquear el sendero.
- No salir del sendero en busca de mejor composición o luz.
- No flash - este puede molestar al pájaro o animal.

Es posible tener más libertad de movimiento si uno se va solo con su propio guía. El costo es, por supuesto, más alto. Mi solución parcial a estas restricciones fue utilizar mi equipo de hombro modificado (de rodillas o sentado), dos cámaras con diferentes objetivos y varias sensibilidades de película. Estos son los siguientes:

- Cámara Canon EOS-IN montada en equipo de hombro modificado con un objetivo Canon EF 35-350 y tubos de extensión Canon 1.4x (dando de 49mm a 490mm)

- Cámara Canon EOS 10S con un objetivo Canon EF 24-85

- Películas: Kodachrome 200 (a veces hasta 400) y Kodachrome 64, Fujichrome

- Velvia 50 y Provia 100.

El equipo de hombro modificado que usé confería casi tanta firmeza como un trípode, si se sabía usarlo. Mi modificación en el equipo de hombro de Leonard Lee Rue, consistía en instalar un liberador de disparador electrónico en la visera frontal y en agregar una tapita de plástico al botón liberador. Esto permitía sentarme, arrodillarme o respaldarme contra una roca de lava, para obtener una postura relativamente firme; y apretar muy delicadamente el liberador de disparador sin ni un movimiento de la cámara misma. Por supuesto, en las Galápagos uno uecesita mirar con cuidado donde se sienta o contra lo que se apoya.

También la sensibilidad de película y el elemento de auto exposición de la mayoría de las cámaras modernas tenía que ser elegido con cuidado para las condiciones de luz y el movimiento y tamaño del sujeto.

Yo he descubierto que una película con "recuperador de guía" es esencial para cambiar de película en medio de un rollo. Para qué hacer esto, se preguntará? Bueno, supongamos que estaba disparando panoramas y quería usar la película con sensibilidad de 50 o 64, que se conoce mejor por la calidad de color, pero, al estar en el medio del rollo, unas aves magníficas aparecieron y querían permanecer allí hasta que se les tomara una foto. Rápidamente, puede rebobinar y sacar el cartucho que estaba usando (marcando el número del fotógrama en una cinta afuera del carrete). Entonces puede meter un rollo con sensibilidad de película de 200 o 400 y disparar a estas aves volantes. Cuando quiera continuar usando el rollo, otra vez con la tapa del objetivo puesta, ponga la cámara en el control de exposición manual y la velocidad de disparo a 1/125 seg, y entonces avance la película hasta llegar al número del fotograma después del que usted rebobinó. Esto parece algo complicado, pero una vez que se hace, se vuelve rápido y sencillo. Por supuesto, otra solución que puede ser cara, es llevar consigo otra cámara.

Mi equipo de hombro, me permitió también seguir aves en vuelo sin tener los problemas del trípode. Para este tipo de disparos, se pone la cámara en control de exposición manual en el punto más angosto del medidor, se centra el sujeto en el encuadre y se usa película con sensibilidad de 400 o la de K-200 empujada hasta el 400.

Las únicas tomas que he perdido debido a las limitaciones de la cámara eran del cráter de millas de largo en la Isla Isabella y acercamientos de la isleta de la Roca de Bainbridge. El objetivo de gran angular más ancho que tenía, era de 24mm y ése abarcaba sólo la 1/2 del cráter (ver p23). Yo usé solamente dos filtros en ocasiones diferentes. El UV para cortar la neblina y ensalzar los colores y un polarizador circular para oscurecer el cielo y cortar el brillo y el reflejo.

Mi consejo para los fotógrafos que visiten las Galápagos., es tratar de ir con un grupo pequeño que está muy serio sobre la fotografía o solo con un guía. Llevar B-A-S-T-A-N-T-E rollo y vestir unas botas fuertes de caminar con buenos sostenedores de tobillos. Algunos de los senderos son simplemente de arena y maleza, pero otros son de la piedra de lava más quebrada y filosa que jamás hubiera visto. Varias personas del grupo se cayeron o/y se amorataron y se doblaron los tobillos.

BIBLIOGRAPHY (*BIBLIOGRAFÍA*)

1. Voyage of the Beagle
   (El viaje del Beagle)   Charles Darwin 1845

2. The Enchanted Islands
   (Las Encantadas)   Herman Melville 1854

3. On the Origin of Species
   (El origen de las especies)   Charles Darwin 1859

4. Galápagos: World's End
   (Galápagos: Al final del Mundo)   William Beebe 1924

5. Galápagos: Islands Lost in Time
   (Galápagos: Islas Perdidas en el Tiempo)   Tui de Roy Moore 1980

6. Galápagos-A Terrestrial and Marine Phenomenon
   (Galápagos-Un Fenómeno Terrestre y Marino)   Paul Humann 1988

7. Galápagos-Discovery of Darwin's Islands
   (Galápagos– EL descubrimiento de las Islas de Darwin)
                                        David Steadman & Steven Zousmer 1988

8. The Galápagos Islands
   (Las Islas Galápagos)   Pierre Constant 1994

9. A Guide to the Birds of the Galápagos Islands
   (Una guía de las aves en las islas Galápagos)
                                        Isabel Castro & Antonia Phillips 1996

10. A Traveler's Guide to the Galápagos Islands
    (Una guía de viajero para las islas Galápagos)
                                        Barry Boyce 1998

11. Galápagos-Islands Born of Fire
    (Galápagos-Islas nacidas del fuego)   Tui De Roy 1998

GALÁPAGOS RELATED MUSIC

Galápagos related music!!! What is that??? Well, let's look at the history and background of these islands. First, there is the INCA native influence. This is attributed to legends of Inca boats being driven off-course by winds and currents to the Galápagos Islands from the west coast of South America. Also, in later years these islands were used as a penal colony that included many Inca natives from the mainland.

There is also the more direct influence of Spain. Many Spanish ships and explorers stopped at these islands for repairs, food and some very limited water. (The food, of course, were the many tortoises that kept quite well in the holds of ships and required very little water). Also, since these islands were annexed by Ecuador in 1832, Spanish and Equadorian native music influences were much more pronounced.

The British influence is also quite heavy and direct on these islands. From the time of the English Buccaneers use of them as a "haven or refuge" to the monumental visit and related work by Charles Darwin in 1835. Most of the islands having English as well as Spanish names is another example of British influence. What kind of music do you think Charles Darwin listened to when he was at home in England? What music was popular in England and Europe during Darwin's time? He stated himself in his writings (see prologue of this book), that he had "very great delight in listening to music". The music selected for the CD with this book reflects what was popular in England and Europe during his time and that he might have listened to.

Now, what if anything did the United States influence have on the Galápagos Islands. It starts out during the Panama Canal construction and World War I. Before and after WWI, the U. S. Navy patrolled the Galápagos waters as protection for the west entrance of the Panama Canal. During WWII, the U. S. Navy conducted several training exercises in the Galápagos and constructed an airfield on one of the islands for it's use.

Today, many of the visitors and outside influences come from the United States as tourists, naturalists, photographers, writers, friends and financial supporters.   At least half a dozen research , conservation and financial support organizations are based or have offices in the United States. What could be more representative of the United States musically than American Jazz. It is also notable that many American Jazz tune titles fit right in with the Galápagos theme.   Tunes such as the "Flight of the Condor", "Lizard on a Rail (Hiawatha)", "Dreamboat", etc.

 Yes, you may also think that some of these music relationships are "far out" eclectic selections, but remember, this book is designed to follow my self imposed guidelines and in many ways be another step in my "Fusion of the Arts". If you have enjoyed this book for it's photography (Light), it's stories (Words), and it's CD (Music), I will have accomplished my goal.

Dan Polin - Light, Words and Music
Spring 2000

Further notes on the recorded selections are as follows:
(Note: These recordings are either on the author's own jazz label or permission has been requested for their use with this book).

1. **Bird of Song. Pajaro Campana**
    Flute Music of the Andes
2. **Girls from Seville. Sevillanas**
    The Art of the Flamenco
3. **Alegro - Trumpet Concerto in D Major**
    J.E. Altenburg
4. **Lizard on a Rail (Hiawatha)**
    C., Seymour, Uptown Lowdown Jazz Band
5. **Flight of the Condor – El Condor Pasa**
    Flute Music of the Andes
6. **From the heart. Desde el Corazon – El Santo Del Quintana**
    Pasacalle – Ecuador
7. **Scherzo – "Trout" Quintet in A Major**
    F. Schubert
8. **When My Dream Boat Comes Home**
    C. Friend & D. Franklin –
    Golden Gate Rhythm Machine

9. **The goose. El Auca – San Juanito**
    Ecuador
10. **Serenade for Strings – Larghetto**
    Edward Elgar
11. **G. Whiz Boogie – Bob Pilsbury**
    G-Whiz Boogie Band
12. **Milonga Flamenca**
    Spain
13. **Nocturne – F. Mendelssohn**
    A Midsummer Night's Dream
14. **Black and Tan Fantasy**
    Ellington/Miley – Devil Mountain Jazz Band
15. **Woman from Málaga. Malaguena – E. Lucuona**
    Spain
16. & 17. **Andante & Vivace – Trumpet Concerto in D Major**
    J.E. Altenburg

MÚSICA RELACIONADA DE GALÁPAGOS

¡¡¡Música relacionada a las Galápagos!!! ¿¿¿Qué será eso??? Bueno, veamos la historia y el transfondo de estas islas. Primero, está la influencia nativa del INCA. Esto se le atribuye a leyendas sobre botes incas desvíados a las G. por vientos y corrientes de la costa occidental de Sudamérica. También, estas islas fueron usadas como colonias penales que incluían a muchos incas nativos de la tierra firme.

Existe, también la influencia más directa de los españoles. Muchos barcos españoles y exploradores paraban en estas islas para reparaciones, alimentos y un poco de agua. (El alimento, por supuesto eran las muchas tortugas que se mantenían muy bien en los contenedores de los barcos y requerían poca agua). Como estas islas fueron anexadas por el Ecuador en 1832, las influencias nativas, españolas y ecuatorianas, fueron más pronunciadas.

La influencia Británica también es bastante grande y directa en estas islas. Desde el uso de ellas por los bucaneros ingleses como "edén o refugio" hasta la monumental visita de C.D en 1835. El hecho de que la mayoría de las islas tienen nombres españoles tanto como ingleses, es otro ejemplo de la influencia británica. ¿Qué tipo de música creen ustedes que Darwin habrá escuchado cuando estaba en casa en Inglaterra? ¿Qué música era popular en Inglaterra y en Europa durante los tiempos de Darwin? El mismo mencionó en sus escritos (ver el prólogo de este libro), que él "tenía un gran placer en escuchar música". Las selecciones musicales para el CD que acompaña este libro, refleja lo que era popular en Inglaterra y en Europa durante su tiempo y lo que podría haber estado escuchando.

Ahora, ¿qué influencia hay, si la tuvieron, los E.E.U.U. en las Galápagos? Comienza con la construcción del Canal del Panamá y la Primera Guerra Mundial. Antes y después de la Primera Guerra Mundial, la Armada Naval norteamericana patrullaba las aguas de las G. para protección de la entrada occidental al Canal del Panamá. Durante la Segunda Guerra Mundial, esta Armada Naval condujo varios ejercicios de entrenamiento en las G. y construyó una pista aérea, para uso propio, en una de las islas.

Ahora, mucho de los visitantes e influencias externas vienen de los E.E.U.U. Estos son turistas, naturalistas, fotógrafos, escritores, amigos y patrocinadores financieros. Por lo menos media docena de organizaciones investigativas, de conservación ambiental y de apoyo financiero tienen sus sedes en los E.E.U.U.¿Qué música podría representar mejor a los E.E.U.U. que el Jazz norteamericano? También es interesante que muchos de los nombres de tonadas de Jazz vayan tan bién con los temas de las Galápagos. Tales tonadas como "El vuelo del Cóndor" "Lagarto en un riel" "La barca del ensueño", etc.

Sí, puede ser que piensen que algunas de las relaciones musicales son selecciones eclécticas exageradas. Pero recuerden, la intención de este libro es de seguir mis propias inclinaciones y en muchas formas dar otro paso hacia la "Fusión de las Artes". Si disfrutaron de este libro por su fotografía (Luz), sus relatos (Palabra) , y su CD (Música), ya habré cumplido mi propósito.

Dan Polin -Luz, Palabra y Música
Primavera 2000

Comentarios adicionales sobre la selección grabada son los siguientes:
   (Nota: Estas grabaciones son de la propia etiqueta de jazz del autor o se pidió permiso para su uso en este libro)

1. **Bird of Song. Pajaro Campana**
   Flute Music of the Andes
2. **Girls from Seville. Sevillanas**
   The Art of the Flamenco
3. **Alegro - Trumpet Concerto in D Major**
   J.E. Altenburg
4. **Lizard on a Rail (Hiawatha)**
   C., Seymour, Uptown Lowdown Jazz Band
5. **Flight of the Condor – El Condor Pasa**
   Flute Music of the Andes
6. **From the heart. Desde el Corazon – El Santo Del Quintana**
   Pasacalle – Ecuador
7. **Scherzo – "Trout" Quintet in A Major**
   F. Schubert
8. **When My Dream Boat Comes Home**
   C. Friend & D. Franklin –
   Golden Gate Rhythm Machine
9. **The goose. El Auca – San Juanito**
   Ecuador
10. **Serenade for Strings – Larghetto**
    Edward Elgar
11. **G. Whiz Boogie – Bob Pilsbury**
    G-Whiz Boogie Band
12. **Milonga Flamenca**
    Spain
13. **Nocturne – F. Mendelssohn**
    A Midsummer Night's Dream
14. **Black and Tan Fantasy**
    Ellington/Miley – Devil Mountain Jazz Band
15. **Woman from Málaga. Malaguena – E. Lucuona**
    Spain
16. & 17. **Andante & Vivace – Trumpet Concerto in D Major**
    J.E. Altenburg

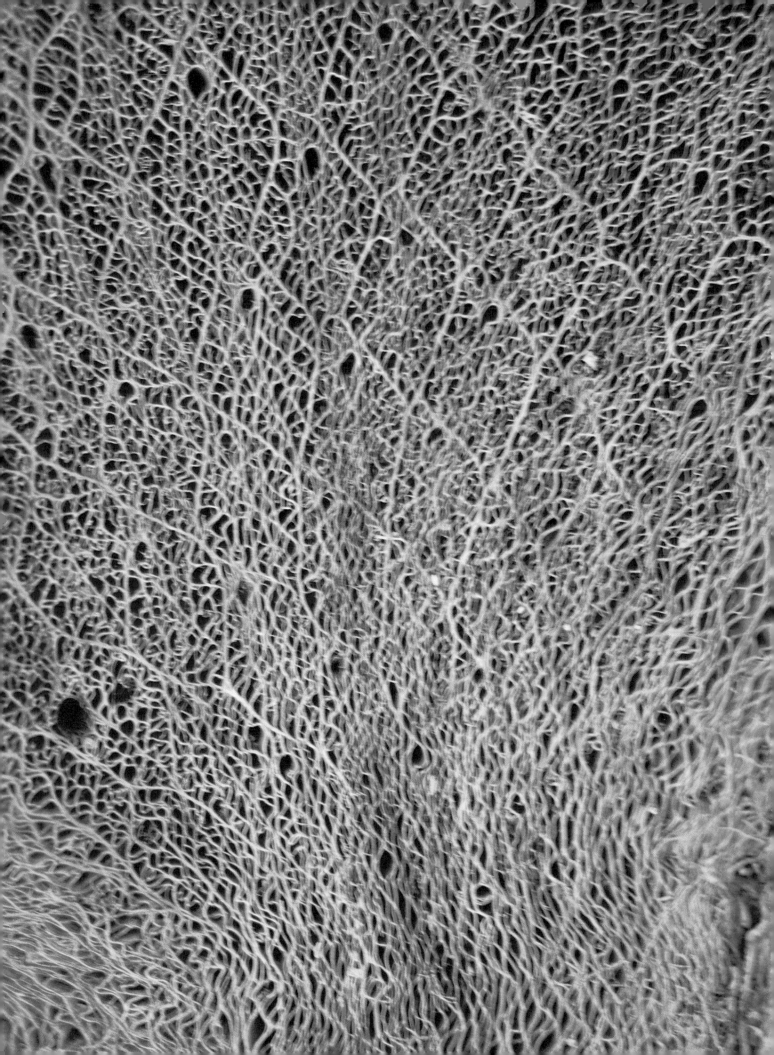